中華國學經典百部

精華本

列子

[战国] 列御寇 著

宿磊 评译

中国书店

图书在版编目（CIP）数据

列子 /（战国）列御寇著；宿磊评译 . —北京：中国书店，2023.10

（中华国学经典百部：精华本）

ISBN 978-7-5149-2963-8

Ⅰ . ①列… Ⅱ . ①列… ②宿… Ⅲ . ①道家②《列子》—译文 Ⅳ . ① B223.21

中国版本图书馆 CIP 数据核字（2022）第 075417 号

列子

〔战国〕列御寇 著　宿磊 评译

责任编辑：赵小波

出版发行：中国书店

地　　址：北京市西城区琉璃厂东街 115 号

邮　　编：100050

电　　话：（010）63171753（总编室）

（010）63017857（发行部）

印　　刷：三河市嘉科万达彩色印刷有限公司

开　　本：787mm × 1092mm　1/32

版　　次：2023 年 10 月第 1 版第 1 次印刷

字　　数：163 千

印　　张：6（全 300）

书　　号：ISBN 978-7-5149-2963-8

定　　价：1490.00 元（全 50 册）

前言

列子，名御寇，战国时期郑国人（今河南郑州），著名的思想家、文学家。道家学派代表人物，是介于老子与庄子之间、道家学派承前启后的重要传承人物。其人先于庄子，故多为《庄子》所称引。

传列子能够御风而行，常在春天乘风而游八荒。飘然飞行，逍遥自在，其轻松自得，令人羡慕。唐玄宗封其为冲虚真人，宋徽宗封其为致虚观妙真君。

列子不求名利，清静修道，隐居郑国四十年，广收门徒，终生致力于道德学问。

《列子》一书，以哲理散文、寓言故事、神话传说、历史故事等形式来表达精微的“大道”，其中众多脍炙人口的寓言故事，可谓家喻户晓。

关于《列子》篇目，《汉书·艺文志》道家类载为八篇，但今所传《列子》一书历来争议颇多。有学者认为，其书本不止八篇，经秦祸，至汉初只存八篇。也有部分学者认为，《列子》一书确为列子自著，但秦时已大部散佚，今本《列子》是后世在其残本的基础上，增添附益而成。

姚鼐、梁启超、吕思勉等人认为，今本《列子》实为最初为该书做注的东晋玄学家张湛所伪造。理由有二：第一，张湛所处的魏晋时代，玄学盛行，同时又是历史上伪造古书的高发期，无论是时代风尚还是个人动机，他都具备作伪的条件；第二，《列子》实本由张湛做注后才行于世，这不得不让人产生这样的怀疑：张湛既是该书的做注者，也是该书的作者。

1956年，著名语言学家杨伯峻先生，从汉语言的角度对今本《列子》做了梳理，发现该书有大量只符合魏晋六朝人习惯的字词语法，从而推论该书并非先秦古籍。如今学界大多数人认为《列子》是一本伪书，虽然《汉书·艺文志》可以证明历史上的确存在过《列子》，但它并不是我们现在看到的这个文本。

虽说今本《列子》有可能为后人伪作，但这丝毫无损于其价值。魏晋时期盛行玄学，所谓玄学，简单地说，就是研究幽深玄远问题的学说，是一种崇尚老庄的思潮。玄学产生于魏晋，消声于宋朝中叶，是道家学说的一种新的表现方式，故又称新道家。

今本《列子》的文学价值被后世众多名家赞誉。柳宗元赞曰："其文辞类庄子，而尤质厚。"洪迈谓："《列子》书事简劲宏妙，多出《庄子》之右。"钱锺书则说："列之文词逊庄之奇肆飘忽，名理逊庄之精微深密。而寓言之工于叙事，娓娓井井，有伦有序，自具一日之长。"

《列子》与《庄子》有许多寓言相同，但比之《庄子》，前者语句工琢，情节完整，论述充分，尤其语言、心理刻画更为精细。文中许多故事诡谲宏妙，甚至光怪陆离，这与魏晋时期流行的志怪小说不无关系。

如前所述，张湛为今本《列子》最早的做注者，唐卢重玄、殷德盛，宋陈景元三家本，各有所重。我们这次推出这一译本，是想为爱好传统文化的当代读者提供一个更具普及性的文本。

这个文本，内容要有代表性，阅读不能有障碍。基于这样的考虑，我们以中华书局1979年版《新编诸子集成》所收的杨伯峻《列子集释》为底本，同时参考中华书局2015年版叶蓓卿译注的《列子》，吸收借鉴各家的研究成果，以飨读者。编者见识浅薄，错漏处在所难免，还望大家指正。

目 录

天瑞第一

【题解】

天瑞，指的是天地万物间的灵气祥瑞，它自然而然地变化，自然而然地运转，自然而然地生息，自然而然地盈亏，循环往复，独立永存。

本卷最大的特点是寓言与议论迭出，强调生死不过往来，一切终归虚无。而虚无本身也不过是一种忘记的过程，无所谓贵贱。天地自明，万物自成，一切都只是随心所欲的过程。这也正是本卷的大意。

【原文】

子列子[①]居郑圃[②]，四十年人无识者。国君卿大夫视[③]之，犹众庶[④]也。国不足[⑤]，将嫁于卫。弟子曰："先生往无反期，弟子敢有所谒[⑥]，先生将何以教？先生不闻壶丘子林[⑦]之言乎？

子列子笑曰："壶子何言哉？虽然，夫子尝语伯昏瞀人[⑧]，吾侧闻之，试以告女。其言曰：有生不生[⑨]，有化不化[⑩]。不生者能生生[⑪]，不化者能化化[⑫]。生者不能不生，化者不能不化，故常生常化。常生常化者，无时不生，无时不化。阴阳尔，四时尔，不生者疑独[⑬]，不化者往复。往复，其际不可终；疑独，其道不可穷。《黄帝书》曰：谷神不死，是谓玄牝[⑭]。玄牝之门，是谓天地之根。绵绵若存，用之不勤。故生物者不生，化物者不化。自生自化，自形自色，自智自力，自消自息。谓之生化、形色、智力、消息者，非也。"

【注释】

①子列子：列子弟子对列子的尊称。前一个"子"表示是作者或说话人的老师。后一个"子"表示有德之人。②郑圃：郑国的圃田。③视：此处指看。

④众庶：指普通百姓。⑤国不足：国家遭遇饥荒。⑥谒（yè）：向人请教。⑦壶丘子林：郑国人，列子的老师，复姓壶丘，名林。⑧伯昏瞀（mào）人：列子的朋友，复姓伯昏。瞀人，愚蠢的人。⑨不生：这里指世界的原初状态，即“道”。生，指有形之物。⑩不化：能影响它物产生变化而己身不产生变化。化，指能存亡变化之物。⑪生生：产生某种事物。⑫化化：影响它物产生变化。⑬疑独：固定不变而独立存在。⑭玄牝（pìn）：这里指玄妙的能产生万物的“道”。

【译文】

列子住在郑国的圃田，四十年没有欣赏他的人。郑国的国君、卿、大夫看待他，就像看待普通百姓一般。郑国遭遇饥荒，列子打算去卫国。他的学生说：“老师这次出去不知什么时候才能回来，学生冒昧地请教，老师用什么来教导我们呢？老师没有听过壶丘子林的言论吗？”

列子笑着说：“壶丘先生哪曾说过些什么呢？即使是这样，先生曾对伯昏瞀人说过一些话，我从旁边听到了，姑且试着告诉你们。先生说：能产生万物，而己身却不是它物所生；能使万物发生变化，己身却不发生变化。不被产生的，能够产生万物；不被变化的，能使万物产生变化。有产生的事物是不得不产生，有变化的事物是不得不变化，所以这些事物经常在产生，也经常在变化。经常在产生，也经常在变化的事物，无时无刻不在产生，无时无刻不在变化。阴阳是这样，四季也是这样。不被产生的事物，固定不变而独立永存；不被变化的事物，循环往复。循环往复的事物，它的边界永远没有终结；独立存在的事物，它的道理不可以被穷究。《黄帝书》说：至虚之物不会死亡，它就是玄妙的道。道的大门，就叫作天地的本原。它绵延不断，若有若无，永不止息地发挥作用。所以产生万物的，己身不被产生；能使万物变化的，己身没有变化。万物自然产生自然变化，自然形成自然着色，自然运用智慧与力量，自然衰落自然生长。将这一切说成是刻意的产生、变化、形成、着色、运智、用力、衰落、生长，那是错误的。”

【原文】

子列子曰："昔者圣人因阴阳以统天地。夫有形者生于无形，则天地安从生？故曰：有太易，有太初，有太始，有太素。太易者，未见气也；太初者，气之始也；太始者，形之始也；太素者，质之始也。气形质具而未相离，故曰浑沦①。浑沦者，言万物相浑沦而未相离也。视之不见，听之不闻，循②之不得，故曰易③也。易无形埒④，易变而为一，一变而为七，七变而为九。九变者，究⑤也；乃复变而为一。一者，形变之始也。清轻者上为天，浊重者下为地，冲⑥和气者为人；故天地含精，万物化生。"

【注释】

①浑沦：即"混沌"，天地开辟前浑然一体的状态。②循：抚摩。③易：简易。④形埒（liè）：形状和界域。⑤究：穷尽。⑥冲：通"中"。

【译文】

列子说："过去，圣人凭借阴阳二气来统御天地万物。有形的事物是从无形的事物中产生出来的，那么天地万物是从哪里产生的呢？所以说：天地万物的产生过程有太易，有太初，有太始，有太素这几个阶段。所谓太易，是指元气还没有形成时的状态；所谓太初，是指元气开始萌发的状态；所谓太始，是指形状逐渐形成，并有了一定的状态；所谓太素，是指元气有了固定的性质。元气、状态、性质具备但却没有分离开来，所以叫作浑沦。浑沦，就是万物浑然一片，没有分离的状态。看它看不见，听它听不到，摸它摸不着，所以叫作易。易没有形状和边界，易经过变化成为一，一经过变化成为七，七经过变化成为九。九是变化穷尽的状态，所以重新经过变化成为一。一是状态变化的开始，清轻之气上浮成为天，浊重之气下沉成为地，中和之气便成为人，所以天地蕴含着精华，万物由此化育成长。

【原文】

子列子曰："天地无全①功，圣人无全能，万物无全用。故天职生覆，地职形载，圣职教化，物职所宜。然则天有所短，地有所长，圣有所否[②]，物有所通。何则？生覆者不能形载，形载者不能教化，教化者不能违所宜，宜定者不出所位。故天地之道，非阴则阳；圣人之教，非仁则义；万物之宜，非柔则刚：此皆随所宜而不能出所位者也。故有生者，有生生者；有形者，有形形者；有声者，有声声者；有色者，有色色者；有味者，有味味者。生之所生者死矣，而生生者未尝终；形之所形者实矣，而形形者未尝有；声之所声者闻矣，而声声者未尝发；色之所色者彰矣，而色色者未尝显；味之所味者尝矣，而味味者未尝呈：皆无为之职也。能阴能阳，能柔能刚，能短能长，能员能方，能生能死，能暑能凉，能浮能沉，能宫能商[③]，能出能没，能玄能黄，能甘能苦，能膻能香。无知也，无能也，而无不知也，而无不能也。”

【注释】

①全：完备。②否（pǐ）：《周易》卦名，原指天地不交而万物不通，这里指堵塞，困滞。③宫、商：古代五声音阶的第一和第二音级。

【译文】

列子说：“天地没有完备的功效，圣人没有完备的能力，万物没有完备的用途。所以天的职责在于生长覆盖，地的职责在于成形载物，圣人的职责在于施行教化，万物的职责在于适合各自的性质。这样看来，天有短处，地有长处，圣人有困滞之时，万物有通达之时。这是为什么呢？这是因为生长覆盖的不能成形负载，成形负载的不能施行教化，施行教化的不能违背万物的性质，万物的性质确定后就不能逾越自己的本位。因此天地的运行规律，不是阴就是阳；圣人的教化，不是仁便是义；万物的性质，不是柔便是刚：这些都是按照万物各自的性质而不能逾越本位的。因此有生命，就有产生生命的本原；有形状，就有产生形状的本原；有声音，就有产生声音的本原；有颜色，就有产生颜色的本原；有滋味，就有产生滋味的本原。生命造就的生物死了，但产生生命的本原没有完结；物体呈现出的形状是存在的，产生形状的物体却没有形状；声音发出的音响可以被听到，但产生声音的本原并没有发声；色彩产生的颜色显明了，但产生颜色的本原没有显示；滋味散发的味道被品尝了，但产生味道的本原并没有呈现：这些都是无为之道的作用。它可以表现出阴的性质，也可以表现出阳的性质，可以柔，也可以刚；可以短，也可以长；可以圆，也可以方；可以生，也可以死；可以热，也可以凉；可以上浮，也可以下沉；可以奏出宫调，也可以奏出商调；可以呈现，也可以隐没；可以显出黑，也可以显出黄；可以甜，也可以苦；可以发出膻臭的气味，也可以发出香的气味。它没有知觉，没有能力，却又无所不知，无所不能。

【原文】

子列子适卫，食于道，从者见百岁髑髅①。攓②蓬而指，顾谓弟子百丰曰："唯予与彼知而未尝生未尝死也。此过养乎？此过欢乎？种有几：若蛙为鹑，得水为㡭③，得水土之际，则为蛙蠙之衣④。生于陵屯，则为陵舄⑤。陵舄得郁栖⑥，则为乌足。乌足之根为蛴螬⑦，其叶为胡蝶。胡蝶胥也化而为虫，生灶下，其状若脱，其名曰鸲掇⑧。鸲掇千日化而为鸟，其名曰乾馀骨。乾馀骨之沫为斯弥，斯弥为食醯颐辂⑨。食醯颐辂生乎食醯黄軦⑩，食醯黄軦生乎九猷⑪，九猷生乎瞀芮⑫，瞀芮生乎腐蠸⑬。羊肝化为地皋，马血之为转邻也，人血之为野火也。鹞之为鹯⑭，鹯之为布谷，布谷久复为鹞也。燕之为蛤也，田鼠之为鹑也，朽瓜之为鱼也，老韭之为苋也，老羭⑮之为猨也，鱼卵之为虫。亶爰⑯之兽自孕而生曰类。河泽之鸟视而生曰鶂⑰。纯雌其名大䐎⑱，纯雄其名稚蜂。思士不妻而感，思女不夫而孕。后稷生乎巨迹，伊尹生乎空桑。厥昭生乎湿，醯鸡⑲生乎酒。羊奚比乎不笋，久竹生青宁，青宁生程，程生马，马生人，人久入于机。万物皆出于机，皆入于机。"

【注释】

①髑髅（dú lóu）：死人的头骨。②攓（qiān）：拔。③㡭（jì）：即续断，

二年生或多年生草本。④蛙蠙之衣：青苔。⑤陵舄（xì）：车前草。⑥郁栖：粪壤。⑦蛴螬（qí cáo）：金龟子的幼虫。⑧鸲（qú）掇：虫名。⑨醯（xī）：醋。颐辂（lù）：蜉蝣。⑩黄軦（kuàng）：虫名。⑪九猷（yóu）：虫名。⑫瞀芮（mào ruì）：蚊子。⑬蠸（quán）：瓜中黄甲虫。⑭鹯（zhān）：猛禽。⑮羭（yú）：母羊。⑯亶爰（chán yuán）：山名。⑰鶂（yì）：鸟名。⑱鼋（yāo）：龟鳖之类。⑲醯鸡：蠛蠓。

【译文】

列子到卫国去，在路边吃饭，跟从的学生在道旁看见一个百年的死人头骨。列子拔起蓬草指着它，回头对他的学生百丰说："只有我和他懂得人不曾生也不曾死的道理。死亡果真使人悲愁吗？活着果真使人欢喜吗？物种之中藏有极为微妙的变化因素：就像青蛙变为鹌鹑，一得到水的滋润又会成为细如断丝的㡭草，在水土交会之处便会成为青苔。生长在高旱之地，便成为车前草。车前草得到了粪壤，就又成为乌足草。乌足草的根变为金龟子的幼虫，它的叶子则变为蝴蝶。蝴蝶很快就又变为虫子，这种虫生长在灶下，形状就像是刚刚蜕了皮一样，它的名字叫鸲掇。鸲掇过了一千天又变化成为鸟，名字叫乾馀骨。乾馀骨口中的唾沫变成斯弥虫，斯弥虫又变成吃醋的蜉蝣，吃醋的蜉蝣从吃醋的黄軦虫中生出，吃醋的黄軦虫又从九猷虫中生出，九猷虫从成群的蚊子中生出，蚊子从腐烂的瓜中黄甲虫中生出。羊肝化为茜草，马血变成磷火，人血变成荒野中的鬼火。鹞鹰变成晨风鸟，晨风鸟变成布谷鸟，布谷鸟过了很久又反过来变为鹞鹰。燕子变成蛤蜊，田鼠变成鹌鹑，腐烂的瓜变成鱼，老韭菜变成苋菜，老母羊变成猿猴，鱼卵又变成虫子。亶爰山上的野兽能自行怀孕而生崽名叫类。河泽边有种鸟，两两相望就能生卵孵化，名叫鶂。纯雌性的龟鳖种群名字叫大鼋，纯雄性的蜂类种群名字叫稚蜂。男子相思不娶妻而有所感应，女子怀春不嫁丈夫而怀孕。后稷因为母亲踏了天帝的足迹而诞生，伊尹因为母亲梦遇神仙而生于空桑。蜻蛉虫生在潮湿之处，蠛蠓虫生在酒醋之中。羊奚草与久不长笋的老竹相结合，老竹生出青宁虫，青宁虫生出了豹子，豹子生出了马，马生出了人，人老后自然归返于自然之中。万物的生命都产生于大道，死后又复归于大道。”

【原文】

《黄帝书》曰：“形动不生形而生影，声动不生声而生响，无动不生无而生有。”形，必终者也；天地终乎？与我偕终。终进[①]乎？不知也，道终乎本无始，进乎本不久[②]。有生则复于不生，有形则复于无形。不生者[③]，非本不生者也；无形者[④]，非本无形者也。生者，理之必终者也。终者不得不终，亦如生者之不得不生。而欲恒其生，画其终，惑于数[⑤]也。精神者，天之分[⑥]；骨骸者，地之分。属天清而散，属地浊而聚。精神离形，各归其真[⑦]，故谓之鬼。鬼，归也，归其真宅[⑧]。黄帝曰：“精神入其门[⑨]，骨骸反其根，我尚何存？”

【注释】

①进：穷尽之意。②久：“又”字形误，应为“有”。③不生者：这里指先有生命后又死亡的事物。④无形者：这里指先有形体后又无形的事物。⑤数：自然之理。⑥分：“又”字形误，应为“有”。⑦真：本原。⑧真宅：所谓本原之地。⑨门：这里指道家所谓的众妙之门。

【译文】

《黄帝书》说：“形体的运转不产生形体而产生影子，声音的运转不产生声音而产生回响，虚无的运转不产生虚无而产生实有。”有形的物体一定会完结；天地会完结吗？和我一样会完结。这种完结会有穷尽的时候吗？不知道。大道完结在原本就没有开始的时候，穷尽在原本就没有事物的所在。有生命的万物必将回复到没有生命的状态，有形态的万物必将回复到没有形态的状态。先有生命而后死亡的万物，并不是一开始就没有生命；先有形态而后又没有形态的万物，并不是一开始就没有形态。所有有生命的物体，按照自然之理则必将完结。完结的不得不完结，就像是产生的不得不产生。想要使有生之物永存，中断它的完结，这是不懂得自然之理啊！精神，为天所有；骨骸，为地所有。属于天的清明而分散，属于地的混浊而凝聚。精神与形骸分离，各自回归本原，所以叫它为鬼。鬼，意思是回归，回归到它的本原之地。黄帝说："精神进入众妙之门，骨骸返回物质的本原之地，我还有什么可以留存的呢？"

【原文】

人自生至终，大化有四：婴孩也，少壮也，老耄①也，死亡也。其在婴孩，气专志一，和之至也；物不伤焉，德莫加焉。其在少壮，则血气飘溢，欲虑充起；物所攻焉，德故衰焉。其在老耄，则欲虑柔焉；体将休焉，物莫先焉；虽未及婴孩之全，方于少壮②，闲矣③。其在死亡也，则之于息焉，反其极矣④。

【注释】

①耄（mào）：《礼记·曲礼上》说八十、九十曰耄。②方：比。③闲：安稳，闲适。④极：这里指自然的本原。

【译文】

人由出生到死亡，大致有这样四个阶段：婴孩，少壮，老耄，死亡。人在婴孩阶段，神气专一，最是和谐；外物不能伤害它，德行不必再增加。人在少壮阶段，血气飘浮横溢，欲望与思虑充斥四体；外物便向他进攻，德行渐趋衰败。人在老年阶段，欲望与思虑持续减弱；身体将要休息，外物也就不再与他相争了；此时的德行虽然还不如婴孩时那般完备，但与少壮阶段相比，却安稳闲适。人到了死亡阶段，那就需要完全安息了，将返回到出生前的自然本原。

【原文】

孔子游于太山①，见荣启期②行乎郕之野，鹿裘③带索，鼓琴而歌。

孔子问曰："先生所以乐，何也？"

对曰："吾乐甚多：天生万物，唯人为贵；而吾得为人，是一乐也。男女之别，男尊女卑，故以男为贵；吾既得为男矣，是二乐也。人生有不见日月、不免襁褓者；吾既已行年九十矣，是三乐也。贫者，士之常也；死者，人之终也。处常得④终，当⑤何忧哉？”

孔子曰：“善乎！能自宽者也。”

【注释】

①太山：即泰山。②荣启期：春秋时的隐士。③鹿裘：粗布之衣。④得：等待。⑤当：读作“尚”。

【译文】

孔子在泰山游览，看见荣启期在郕地郊外漫步，身上穿着粗布的衣服，腰间系着绳索，弹着琴，唱着歌。

孔子问道：“先生这样快乐，是因为什么呢？”

荣启期答道：“我快乐的原因很多：大自然孕育万物，唯有人最尊贵；而我既然能够成为人，这自然是我快乐的第一个原因了。男女有别，男人地位高，女人地位低，所以以男人为尊贵；而我既然能够成为男人，这自然是我快乐的第二个原因了。有的人一出生，不曾看到太阳月亮、不曾离开襁褓就夭亡了；而我已经活到了九十岁，这自然是我快乐的第三个原因了。贫穷是读书人的普遍状况，死亡是人生的必然结局。我安心处于读书人的普遍状态中，等待着终将到来的结局，还有什么能让我忧愁的呢？”

孔子说：“说得好啊！你是个能够自己宽慰自己的人。”

【原文】

林类①年且百岁，底②春被③裘，拾遗穗于故畦，并歌并进。

孔子适卫，望之于野。顾谓弟子曰：“彼叟可与言者，试往讯之！”

子贡请行。

逆④之垄端，面之而叹曰：“先生曾不悔乎，而行歌拾穗？”

林类行不留，歌不辍。子贡叩⑤之不已，乃仰而应曰：“吾何悔邪？”

子贡曰：“先生少不勤行，长不竞时，老无妻子，死期将至：亦有何乐而拾穗行歌乎？”

林类笑曰：“吾之所以为乐，人皆有之，而反以为忧。少不勤行，长不竞时，故能寿若此。老无妻子，死期将至，故能乐若此。”

子贡曰：“寿者人之情⑥，死者人之恶。子以死为乐，何也？”

林类曰：“死之与生，一往一反。故死于是者，安知不生于彼？故吾知其不相若矣？吾又安知营营而求生非惑乎？亦又安知吾今之死不愈昔之生乎？”

子贡闻之，不喻其意，还以告夫子。

夫子曰：“吾知其可与言，果然；然彼得之而不尽者也。”

【注释】

①林类：春秋时的隐士。②底：当。③被（pī）：同“披”，穿着。④逆：迎。⑤叩：询问。⑥情：人的欲望。

【译文】

林类年纪将近一百岁了，到了春天还穿着粗皮衣，在田地里拾取收割后遗留下来的麦穗，边唱歌，边往前走。

孔子到卫国去，在郊外看见了他，于是回头对学生说：“那位老人是个值得交谈的人，你们谁试试去问问他。”

子贡请求前往。

他在田埂的一头迎着林类走去，面对着他感叹道：“老先生没有后悔过吗？还这样边走边唱地拾麦穗？”

林类不停地往前走，不停地唱着歌。子贡一再向他询问，他才仰头答复说：“我有什么可以后悔的呢？”

子贡说：“老先生少年时懒惰没有作为，长大后又不争取时间，到老了没有妻子儿女，现在死期将近，还有什么事情值得老先生快乐到边拾麦穗边走路边唱歌呢？”

林类笑道：“我能够快乐的原因，每个人都有，可人们反而以此为忧。正是由于我少年时懒惰没有作为，长大了又不争取时间，我才能这样长寿。正是由于到老了还没有妻子儿女，现在死期将近，我才能这样快乐。”

子贡问：“长寿，人人都向往，死亡，人人都厌恶。老先生却以死亡为乐，这是为什么呢？”

林类说：“死亡与出生，就像是一去一回。所以在这里死去，又怎么知道不会在另一个地方再生呢？正因为这样，又怎么知道死与生不一样呢？我又怎么知道苦苦谋生不是头脑糊涂呢？同时又怎么知道我今日的死不比过去活着更好些呢？”

子贡听了林类的话，不明白其中的意思，便回来告诉孔子。

孔子说：“我知道他是值得交谈的，果然是这样；不过他了解的自然之理并不完满。”

【原文】

子贡倦于学，告仲尼曰：“愿有所息。”

仲尼曰：“生无所息。”

子贡曰：“然则赐息无所①乎？”

仲尼曰：“有焉耳。望其圹②，睪③如也，宰④如也，坟⑤如也，鬲⑥如也，则知所息矣。”

子贡曰：“大哉死乎！君子息焉，小人伏⑦焉。”

仲尼曰：“赐！汝知之矣。人胥⑧知生之乐，未知生之苦；知老之惫，未知老之佚；知死之恶，未知死之息也。晏子曰：‘善哉，古之有死也！仁者息焉，不仁者伏焉。’死也者，德之徼⑨也。古者谓死人为归人。夫言死人为归人，则生人为行人矣。行而不知归，失家者也。一人失家，一世非之；天下失家，莫知非焉。有人去乡土、离六亲、废家业、游于四方而不归者，何人哉？世必谓之为狂荡之人矣。又有人钟贤世，矜巧能、修名誉、夸张于世而不知已者，亦何人哉？世必以为智谋之士。此二者，胥失者也。而世与一不与一，唯圣人知所与，知所去。”

【注释】

①息无所：疑应为“无所息”。②圹（kuàng）：墓穴。③睪（gāo）：通“皋”，高貌。④宰：坟墓。⑤坟：指高出地面的土堆。⑥鬲（lì）：古代炊器，陶

或青铜制。这里用它中空的样子来形容坟墓。⑦伏：埋葬。⑧胥：皆，都。⑨徼（jiào）：巡回，此处意为复归。

【译文】

子贡对学习有些厌倦，于是对孔子说："我希望能休息一阵。"

孔子说："人生没有什么休息。"

子贡问："那么说我就没有休息的地方了吗？"

孔子回答说："有的。你看那墓穴，高高大大的，像是土丘，中间空空又与外界隔绝，就知道能够在哪里休息了。"

子贡说："死亡真是伟大啊！君子在那里休息，小人在那里埋葬。"

孔子说："赐啊！你现在已经明白了。人人都知晓活着的快乐，却并不了解活着的痛苦；都知晓老年的疲惫，却并不了解老年的安逸；都知晓死亡的可恶，却并不了解死亡是一种休息。晏子说过：'真好啊，自古以来就有死亡！仁人在那里休息，恶人在那里埋葬。'死亡是德行复回的事情。古时人们把死人叫作"归人"。既然死人是"归人"，活着的人就是"行人"了。在外行走而不知回家，那是抛弃家庭的人。一个人抛弃了家庭，世上所有的人都会反对他；天下的人都抛弃了家庭，就没有人知道去反对了。有的人离开故土，抛弃亲人，荒废家业，四方游荡而不归家，这是怎样的人呢？世上的人一定会说他是狂荡的人。又有人专心致志于贤明之世，自以为灵敏能干，一心博取功名，到处夸张炫耀而不去了解自己，这又是怎样的人呢？世人一定会认为他是有智谋的人。这两种人都是不对的，而世人却赞扬智谋之人，反对放荡之人。只有圣人才知道什么事该赞扬，什么事该反对。"

【原文】

或谓子列子曰："子奚贵虚？"

列子曰："虚者无贵也。"

子列子曰："非其名也，莫如静，莫如虚。静也虚也，得其居矣；取也与也，失其所矣。事之破砺[1]而后有舞仁义者，弗能复也。”

【注释】

①砺（huǐ）：毁坏。

【译文】

有人对列子说：“先生您为什么特别以虚无为贵呢？”

列子回答道：“虚无本身是没有什么贵贱的。”

列子又说：“要否定人为的名义，不如保持清静，保持虚无。清静、虚无，就掌握了道之所在；索取、给予，就丧失了道之所在。事物的本性被毁坏之后，再来舞弄仁义的说教，是不能使之复原的。”

【原文】

粥熊[1]曰：“运转亡[2]已，天地密移，畴[3]觉之哉？故物损于彼者盈于此，成于此者亏于彼。损盈成亏，随世随死。往来相接，间[4]不可省，畴觉之哉？凡一气不顿[5]进，一形不顿亏，亦不觉其成，亦不觉其亏。亦如人自世至老，貌色智态，亡日不异；皮肤爪发，随世随落，非婴孩时有停而不易也。间不可觉，俟至后知。”

【注释】

①粥熊：即鬻熊，周代楚国的先祖。②亡（wú）：没有。③畴（chóu）：谁。④间（jiàn）：缝隙。⑤顿：突然。

【译文】

鬻熊说：“万事万物运动流转永不停止，连天地也在悄悄地迁移变化，谁感觉到了呢？所以事物在那里减损，就会在这里充盈，在这里完成，就会在那里毁坏。减损、充盈、完成、毁坏，随时发生，随时消亡。一往一来，头尾相接，一点缝隙也没有，谁感觉到了呢？但凡一种元气不是突然增长，一种形体不是突然亏损，人们就感觉不到它的完成，也感觉不到它的亏损。这也像人们从出生到衰老一样，容貌、神色、智力、体态，没有一天不在发生变化；皮肤、指甲、毛发，随时生长，随时脱落，并不是在婴孩时就停滞而不再改变了。变化时一点也觉察不到，只有等到结果出现以后才会明白。”

【原文】

杞国有人忧天地崩坠，身亡所寄，废寝食者。又有忧彼之所忧者，因往晓①之，曰：“天，积气耳，亡处亡气。若屈伸呼吸，终日在天中行止，奈何忧崩坠乎？”

其人曰：“天果积气，日月星宿，不当坠耶？”

晓之者曰：“日月星宿，亦积气中之有光耀者，只使②坠，亦不能有所中伤。”

其人曰：“奈地坏何？”

晓者曰：“地积块耳，充塞四虚，亡处亡块。若躇步跐蹈③，终日在地上行止，奈何忧其坏？”

其人舍然④大喜，晓之者亦舍然大喜。

长庐子⑤闻而笑之曰：“虹蜺⑥也，云雾也，风雨也，四时也，此积气之成乎天者也。山岳也，河海也，金石也，火木也，此积形之成乎地者也。知积气也，知积块也，奚谓不坏？夫天地，空⑦中之一细物，有中之最巨者。难终难穷，此固然矣；难测难识，此固然矣。忧其坏者，诚为大⑧远；言其不坏者，亦为未是。天地不得不坏，则会归于坏。遇其坏时，奚为不忧哉？”

子列子闻而笑曰：“言天地坏者亦谬，言天地不坏者亦谬。坏与不坏，吾所不能知也。虽然，彼一也，此一也。故生不知死，死不知生；来不知去，去不知来。坏与不坏，吾何容心哉？”

【注释】

①晓：开导，晓谕。②只使：即使。③躇（chú）步跐（cǐ）蹈：站立、行走、踩踏、蹦跳。④舍（shì）然：这里指疑虑消除。⑤长庐子：战国楚人，属道家。⑥蜺（ní）：即霓，虹的一种。⑦空：与“有”相对，指整个宇宙空间。⑧大（tài）：同“太”。

【译文】

杞国有个人担心天会崩塌，地会沉陷，自己将没有可以寄身的地方，因此睡不着觉，吃不下饭。又有一个人担忧他，就前去开导他，说："天只是气的凝聚，没有一个地方是没有气的。就像你弯腰挺身、呼气吸气，整天在天空中生活，为什么还要担忧它崩塌下来呢？"

那个人说："天如果真的是气的凝聚，那太阳、月亮、星星不会掉下来吗？"

开导他的人说："太阳、月亮、星星，也不过是凝聚起来的气中有光辉的物体，即使掉下来，也不会对人造成伤害。"

那个人又说："那么要是地沉陷下去怎么办呢？"

开导他的人说："地只是土块的凝聚，充盈在四面八方，没有一个地方是没有土块的。就像你站立、行走、踩踏、蹦跳，整天在地上活动，为什么还要担忧它陷裂下去呢？"

那人消除了疑虑，放下心来，十分高兴，那个开导他的人也消除了担忧，放下心来，也十分高兴。

长庐子听说这件事后，笑着说："虹霓呀，云雾呀，风雨呀，四季呀，这些是凝聚的气所形成的天。山岳呀，河海呀，金石呀，火木呀，这些是有形之物凝聚而成的地。既然天是凝聚的气，地是凝聚的土块，为什么还说它是不会塌陷呢？天地是无限宇宙中的一个小物体，然而却是有形的物体中最巨大的东西。它们难以终结，难以穷尽，这是必然的；难以观测它的深浅，难以认识它的规律，也是必然的。担忧它会塌陷，确实担忧得过远；说它不会塌陷，也是不对的。天与地不可能不塌陷，它们终将是会塌陷的。遇到这种情况，怎么能不担忧呢？"

列子听到后笑着说："说天地会塌陷是荒谬的，说天地不会塌陷也是荒谬的。塌陷与不塌陷，是不可知的事情。既然如此，天地塌陷是一种可能，天地不塌陷也是一种可能。所以活着不知道死亡以后会怎样，死亡以后不知道生前的事情；未来不知道过去，过去不知道未来。天地会不会塌陷，我为什么要放在心上呢？”

【原文】

舜问乎烝[①]曰：“道可得而有乎？”

曰：“汝身非汝有也，汝何得有夫道？”

舜曰：“吾身非吾有，孰有之哉？”

曰：“是天地之委形也。生非汝有，是天地之委和也。性命非汝有，是天地之委顺也。孙子[②]非汝有，是天地之委蜕也。故行不知所往，处不知所持[③]，食不知所以。天地强阳[④]，气也，又胡可得而有邪？”

【注释】

①烝（chéng）：应作“丞”，古代帝王的辅佐。②孙子：当为“子孙”之误。③持：守。④强阳：指“运动”。

【译文】

舜问丞说：“治理天下的道可以获得并据为己有吗？”

丞回答说：“你的身体都不是你所据有的，你怎么能据有道呢？”

舜问：“我的身体不属于我所有，那是谁据有它呢？”

丞回答说：“是天地把形体托付给你的。生命不属于你所有，它只是天地把中和之气托付给你。性命不属于你所有，是天地把顺化之气托付给你。子孙后代不属于你所有，是天地把蜕变的功能托付给你。所以行动不知道往哪里去，居住不知道保持处所，饮食不知道滋味。天地不停地运动，全是气的作用，治理天下的道又怎么能获得并占有呢？”

【原文】

齐之国氏大富，宋之向氏大贫。自宋之齐，请其术。

国氏告之曰：“吾善为盗。始吾为盗也，一年而给，二年而足，三年大穰[①]。自此以往，施及州闾[②]。”

向氏大喜。喻[③]其为盗之言，而不喻其为盗之道。遂逾[④]垣凿室，手目所及，亡不探也。未及时，以赃获罪，没[5]其先居之财。

向氏以国氏之谬[6]己也，往而怨之。

国氏曰："若为盗若[7]何？"向氏言其状。

国氏曰："嘻！若失为盗之道至此乎？今将告若矣。吾闻天有时，地有利。吾盗天地之时利，云雨之滂润，山泽之产育，以生吾禾，殖吾稼，筑吾垣，建吾舍。陆盗禽兽，水盗鱼鳖，亡非盗也。夫禾稼、土木、禽兽、鱼鳖，皆天之所生，岂吾之所有？然吾盗天而亡殃。夫金玉珍宝，谷帛财货，人之所聚，岂天之所与？若盗之而获罪，孰怨[8]哉？"

向氏大惑，以为国氏之重罔[9]己也，过东郭先生问焉。

东郭先生曰："若一身庸非盗乎？盗阴阳之和以成若生，载若形；况外物而非盗哉？诚然，天地万物不相离也；仞而有之，皆惑也。国氏之盗，公道也，故亡殃；若之盗，私心也，故得罪。有公私者，亦盗也；亡公私者，亦盗也。公公私私，天地之德。知天地之德者，孰为盗耶？孰为不盗耶？"

【注释】

①穰（ráng）：庄稼丰收。②州闾：乡里街坊。③喻：了解。④逾：越过。⑤没（mò）：没收。⑥谬：欺诈。⑦若：你。⑧孰怨：怨谁。孰，谁。⑨罔（wǎng）：欺骗。

【译文】

齐国有户姓国的人家很富有，宋国有户姓向的人家很贫困。姓向的人从宋国来到齐国，向姓国的人请教致富的方法。

姓国的人告诉他说："我善于偷盗。最初我偷盗时，一年就够自用，二年便很富足，三年就家资丰厚了。从此以后，我还接济乡里街坊。"

姓向的人听后很高兴。然而他只是理解了姓国的人关于偷盗的话，却并没有理解姓国的人所谓偷盗背后的道理。于是他越过矮墙、挖开壁洞，凡是手能摸到的，眼睛能看到的，没有一件不拿走的。没过多久，便因为被查出赃物而被问罪，就连以前的积蓄也被一并没收了。

姓向的人认为姓国的人欺骗了自己，便去埋怨他。

姓国的人问：“你是怎样偷盗的？”姓向的人便叙述了自己偷盗的情况。

姓国的人说：“唉！你竟然误解偷盗的道理到这种程度！现在让我来告诉你吧。我听说天有时，地有力。我偷盗的是天时与地利，云和雨的润泽，山林川泽的特产，用来生养我的禾苗，繁育我的庄稼，夯筑我的围墙，建造我的房屋。在陆地上偷盗飞禽走兽，在水泊中偷盗鱼虾龟鳖，没有什么不是偷盗来的。禾苗、庄稼、土地、树木、禽兽、鱼鳖，原本都是自然之物，难道是属于我的？然而我偷盗自然之物却没有灾殃。至于金银、玉石、珍珠、宝物、粮食、布帛、钱财、货物，都是人所积聚的，哪里是自然赐予你的呢？你偷盗它们而被问罪，能怨谁呢？”

姓向的人听完后更加迷惑，以为姓国的又在欺骗自己，于是便到东郭先生那里去请教。

东郭先生说：“你全身上下所有的东西难道不都是偷盗来的吗？偷盗阴阳中和之气来成就你的生命，形成你的体态，又何况身外之物哪一样不是偷盗来的呢？的确，天地万物都彼此关联，不能完全分离；把它们看作私有而霸占，都是糊涂的。姓国的人的偷盗，是符合公道的，所以没有遇到灾祸；你的偷盗，则出于私心，因此被问罪。其实，为公为私都是偷盗，不为公为私同样也是偷盗。然而将公有的东西视为公有，把私有的东西视为私有，这是天地间的大德行。知晓了天地间的大德行，那么谁又是在偷盗呢？谁又不是在偷盗呢？”

黄帝第二

【题解】

本卷的宗旨是论述养身治物的道理。围绕本心与外物的相互关系展开讨论，通过故事的形式，阐明达到心无逆顺、物我两忘、与世无违境界的具体方法。

本卷既然题为《黄帝》，其目的自然还是为了推崇黄老学派的“清虚无为”的治世主张。在作者看来，要想实现这一主张，在理想的乌托邦内，除了有奉行天地无为之政的君王与自治自为的百姓，还需要有孔子、墨子这样的圣贤，只有这样，所谓的大治才能得以实现。

【原文】

黄帝即位十有五年，喜天下戴己，养正命①，娱耳目，供鼻口，焦然肌色皯䵟②，昏然五情爽惑。又十有五年，忧天下之不治，竭聪明，进智力，营百姓，焦然肌色皯䵟，昏然五情爽惑。黄帝乃喟然赞曰：“朕之过淫矣。养一己其患如此，治万物其患如此。”于是放万机，舍宫寝，去直侍③，彻钟悬，减厨膳，退而闲居大庭之馆，斋心服形，三月不亲政事。

昼寝而梦，游于华胥氏之国。华胥氏之国在弇州之西，台州之北，不知斯齐国几千万里；盖非舟车足力之所及，神游而已。其国无帅长，自然而已。其民无嗜欲，自然而已。不知乐生，不知恶死，故无夭殇；不知亲己，不知疏物，故无爱憎；不知背逆，不知向顺，故无利害：都无所爱惜，都无所畏忌。入水不溺，入火不热。斫④挞无伤痛，指擿无痟⑤痒。乘空如履实，寝虚若处床。云雾不硋⑥其视，雷霆不乱其听，美恶不滑⑦其心，山谷不踬⑧其步，神行而已。

黄帝既寤，怡然自得，召天老、力牧、太山稽[9]，告之，曰："朕闲居三月，斋心服形，思有以养身治物之道，弗获其术。疲而睡，所梦若此。今知至道不可以情求矣。朕知之矣！朕得之矣！而不能以告若矣。"

又二十有八年，天下大治，几若华胥氏之国，而帝登假[10]。百姓号之，二百余年不辍。

【注释】

①正命：性命。②皯黣（gǎn měi）：面色焦枯黝黑。③直侍：贴身的侍从。④斫（zhuó）：砍、斩、削。⑤擿（zhì）：搔爬。痟（xiāo）：酸痛。⑥硋（ài）：阻碍。⑦滑（gǔ）：迷惑。⑧踬（zhì）：被绊倒。⑨天老、力牧、太山稽：传说中黄帝的三位辅佐之臣。⑩登假（xiá）：古人对死亡的讳称，多用于帝王。假，通"遐"。

【译文】

黄帝即位十五年了，因天下百姓拥戴自己而十分高兴，于是就调养性命，兴歌舞娱悦耳目，调美味温饱鼻口，然而却弄得面色焦枯黝黑，神色憔悴萎靡，头脑昏乱，情志迷惑。又过了十五年，黄帝因忧虑天下得不到治理，于是竭尽全部聪明，用尽智慧体力，去治理百姓，然而同样弄得面色焦枯黝黑，神色憔悴，头脑昏乱，情志迷惑。黄帝于是长叹道："我的错误真是太深了。调养自己，祸害是这样，治理万物，祸害也是这样。"于是他放下了纷繁的日常事务，离开了宫殿寝室，屏退了贴身侍卫，撤掉了钟磬乐器，削减了厨师膳食，退隐独居在宫外的外庭馆舍，清除心中杂念，降服身体欲望，三个月不过问政治事务。

有一天，他白天睡觉时做梦，梦见到华胥之国游历。华胥国在弇州的西面，台州的北面，不知离中国有几千万里远；并不是依靠乘船、坐车和步行所能到达的，只不过是精神游历而已。那个国家没有君主和官长，一切听其自然罢了。那个国家的百姓没有嗜好和欲望，一切顺其自然罢了。他们不懂得以生存为快乐，也不懂得以死亡为可恶，因而没有短命和夭亡的人；他们不懂得私爱自身，也不懂得疏远外物，因而没有喜欢和憎恶的东西；他们不懂得反对与叛逆，也不懂得赞成与顺从，因而没有有利益与祸害：没有什么值得偏爱与吝惜的，也没有什么值得畏惧与忌讳的。他们到水中淹不死，到火里烧不坏。刀砍鞭打没有伤痛，指甲搔爬也不觉酸痒。乘云升空就像脚踏实地，寝卧虚空就像安睡木床。云雾不能阻碍他们的视线，雷霆不能扰乱他们的听觉，美丑不能迷惑他们的心志，山谷不能绊住他们的脚步，一切都凭精神运行而已。

黄帝从梦中醒来后，觉得十分愉快而满足，于是把天老、力牧和太山稽叫来，告诉他们说："我独居了三个月，清除了心中杂念，降服了身体欲望，专心考虑如何调养身心和治理外物，却仍然得不到这种方法。后来我因疲倦而睡觉，做了一个这样的梦。现在我才懂得最高深的'道'是不能用常情去追求的。我明白了！我得到了！但却不能用语言来告诉你们。"

又过了二十八年，天下大治，几乎和华胥国一样，而黄帝却升天了。老百姓悲痛大哭，二百多年都不曾中断过。

【原文】

列姑射[①]山在海河洲中，山上有神人焉，吸风饮露，不食五谷；心如渊泉，形如处女。不偎[②]不爱，仙圣为之臣；不畏不怒，愿悫[③]为之使；不施不惠，而物自足；不聚不敛，而己无愆[④]。阴阳常调，日月常明，四时常若，风雨常均，字育常时，年谷常丰；而土无札伤[⑤]，人无夭恶，物无疵厉[⑥]，鬼无灵响焉。

【注释】

①列姑射（yè）：古代神话传说中的山名。②偎（wēi）：亲近。③愿悫（què）：忠厚诚实。这里是指忠厚诚实的人。④愆（qiān）：困顿，缺乏。⑤札伤：遭瘟疫而死亡。⑥疵（cī）厉：这里指灾害。

【译文】

列姑射山在黄河入海口的河洲中，山上住着神人，他呼吸清风，饮用露水，不吃五谷；心灵似深幽的泉水，形貌似闺房的少女；他不亲近他人也没有私爱，仙人和圣人都臣服于他；他不威严也不愤怒，诚实与忠厚的人愿意供他使唤；他不施舍也不惠赠，物质财富都自然充足；他不积聚不搜刮，自身一点也不困顿缺乏。阴阳二气永远调和，太阳月亮永久明亮，春夏秋冬年年有序，风霜雨雪季季适当，孕育生长时时合节，五谷杂粮岁岁满仓；而且疆土内没有瘟疫，人民不会夭殇，万物没有灾害，鬼魅不兴风作浪。

【原文】

列子师老商氏，友伯高子；进二子之道，乘风而归。

尹生闻之，从列子居，数月不省[①]舍。因间请蕲[②]其术者，十反而十不告。尹生怼[③]而请辞，列子又不命[④]。尹生退。数月，意不已，又往从之。

列子曰："汝何去来之频？"

尹生曰："曩[⑤]章戴有请于子，子不我告，固有憾于子。今复脱然，是以又来。"

列子曰："曩吾以汝为达，今汝之鄙至此乎？姬[⑥]！将告汝所学于夫子者矣。自吾之事夫子友若人也，三年之后，心不敢念是非，口不敢言利害，始得夫子一眄[⑦]而已。五年之后，心庚[⑧]念是非，口庚言利害，夫子始一解颜而笑。七年之后，从心之所念，庚无是非；从口之所言，庚无利害，夫子始一引吾并席而坐。九年之后，横[⑨]心之所念，横口之所言，亦不知我之是非利害欤，亦不知彼之是非利害欤；亦不知夫子之为我师，若人之为我友：内外进矣。而后眼如耳，耳如鼻，鼻如口，无不同也。心凝形释，骨肉都融；不觉形之所倚，足之所履，随风东西，犹木叶干壳。竟不知风乘我邪？我乘风乎？今女[⑩]居先生之门，曾未浃时[⑪]，而怼憾者再三。女之片体将气所不受，汝之一节将地所不载。履虚乘风，其可几[⑫]乎？"

尹生甚怍，屏息良久，不敢复言。

【注释】

①省（xǐng）：探望。②因间（jiàn）：乘机。蕲（qí）：通“祈”，祈求。③怼（duì）：怨恨。④不命：意为不表态。⑤曩（nǎng）：从前。⑥姬（jū）：通“居”，坐下。⑦眄（miǎn）：斜着眼睛看。⑧庚：通“更”。⑨横：放纵。⑩女（rǔ）：通“汝”。⑪未浃（jiā）时：时间短暂。⑫几（jì）：通“冀”，期望。

【译文】

列子拜老商氏为师，以伯高子为友；把两人所有的道术都学到了手，然后乘风而归。

尹生听说了这件事，便跟从列子居住，好几个月都不回家探望。他找到机会就向列子祈求道术，问了十次，列子十次都没有向他传授。尹生怨恨不已，请求离开，列子也不表态。尹生便回家去了。几个月后，想要学习道术的念头难以消除，于是又去跟从列子。

列子问：“你为什么来去这么频繁呢？”

尹生答道：“以前章戴我向先生请教道术，先生不肯传授，本来有些怨恨先生。现在我的怒气已经全然消散，所以又来了。”

列子说：“从前我以为你通达事理，现在才知道你的无知竟到了如此程度。坐下！我将告诉你我是怎样向先生学习道术的。自从我侍奉先生结交友人，三年之后，心中不敢计较是与非，嘴上不敢谈论利与害，才得到先生斜着眼睛看我一下罢了。五年之后，心中更是不敢计较是与非，嘴上更是不敢谈论利与害，先生这才放松面容对我笑了笑。七年之后，任凭心里如何去想，更加没有是与非；任凭嘴上怎么去说，更是没有利与害，先生这才叫我和他并席而坐。九年之后，我放纵心思去计较，放纵口舌去谈论，也不知道自己的是非利害，也不知道别人的是非利害；并且也不知道先生是我的老师，伯高子是我的朋友：身心内外完全融合于大道了。从此以后，我的眼睛的作用就像耳朵一样，耳朵的作用就像鼻子一样，鼻子的作用就像嘴一样，它们没有什么区别了。我的心神凝聚，形体消失，骨骸血肉相互融合；感觉不到形体所倚赖的与脚下所踩踏的，只是随风东游西荡，就像那枯木的落叶或是竹笋的干壳四散飘零。竟然不知道是风驾驭着我呢？还是我驾驭着风？现在你在我的门下没多长时间，就再三地怨恨不满。你的身躯将不被元气接受，你的肢节将不被大地承载。还想要凌空行走，乘风翱翔，哪里指望得上呢？”

尹生非常惭愧，好长时间不敢大声出气，也不敢再说什么。

【原文】

列子问关尹曰：“至人潜行不空①，蹈火不热，行乎万物之上而不栗。请问何以至于此？”

关尹曰：“是纯气之守也，非智巧果敢之列。姬！鱼②语女。凡有貌像声色者，皆物也。物与物何以相远也？夫奚足以至乎先？是色③而已。则物之造乎不形，而止乎无所化，夫得是而穷之者，焉得而正焉？彼将处乎不深之度，而藏乎无端之纪④，游乎万物之所终始。壹其性，养其气，含其德，以通乎物之所造。夫若是者，其天守全，其神无郤⑤，物奚自入焉？夫醉者之坠于车也，虽疾不死。骨节与人同，而犯害与人异，其神全也。乘亦弗知也，坠亦弗知也。死生惊惧不入乎其胸，是故遻⑥物而不慑。彼得全于酒而犹若是，而况得全于天乎？圣人藏于天，故物莫之能伤也。”

【注释】

①潜行：潜行水中。空：窒息。②鱼：通“吾”，我。③色：拘于色相之物。④无端之纪：无首无尾之大道。⑤郤（xì）：空隙。⑥遻（è）：遇到。

【译文】

列子问关尹说：“至人在水中潜行不会窒息，在火中踩踏不会烧伤，行走在万物之上不会战栗。请问他们为什么能达到这般境界呢？”

关尹说：“这是能够守住元气的缘故，而不是靠智慧、技巧和果敢之类所能办到的。坐下！我告诉你。凡是有相貌、迹象、声音和颜色的，都是物。物与物为什么会差别很大呢？物怎么能达到未始有物的至虚境界呢？这些都不过是拘于形貌与声色罢了。而道能达到不露形迹与永不变灭的境地。能够掌握此道而穷尽此理的人，外物怎么能阻止他呢？他处于大道的尺度内，藏神于无首无尾的大道中，游于万物赖以生死的大道之境。使心性纯一而不驳杂，使元气保养而不失，使德行与大道相合，与派生万物的大道相通。像这样的人，其自然天性能持守完全，他的精神没有空隙，万物怎么能侵入呢？喝醉酒的人从车上跌落下来，虽然摔伤却不会死亡。他的骨节与别人相同，而损伤却与别人不同，是因为他精神完整。他既不知坐到车上，也不知坠落地上，死亡、生存、惊恐、惧怕等观念都侵入不到他的心中，因而遇到任何事情都不害怕。他因为醉酒而使精神完整尚且如此，何况积聚了完整的纯真之气的人呢？圣人把自己隐藏在天赋的纯真之气中，所以没有任何外物能伤害他。”

【原文】

列御寇为伯昏无人射，引之盈贯，措杯水其肘上，发之，镝矢①复沓，方矢复寓。当是时也，犹象人②也。

伯昏无人曰：“是射之射，非不射之射也。当③与汝登高山，履危石，临百仞之渊，若能射乎？”于是无人遂登高山，履危石，临百仞之渊，背逡巡，足二分垂④在外，揖御寇而进之。御寇伏地，汗流至踵。

伯昏无人曰：“夫至人者，上窥青天，下潜黄泉，挥斥八极，神气不变。今汝怵然有恂目⑤之志，尔于中也殆矣夫！”

【注释】

①镝矢（dí）：指箭。这里用作动词，发箭。②象人：偶人。③当：假如。④垂：悬。⑤怵（chù）然：恐惧的样子。恂（shùn）目：瞬目，转眼。

【译文】

列御寇为伯昏无人表演射箭，他拉满了弓弦，把装满水的杯子放在拿弓的手肘上，然后射出箭去，第一箭刚离弦，第二箭就已搭上，第三箭又扣在弦上。在这个时候，他全神贯注，像人偶一样一动也不动。

伯昏无人说："你这是运用技巧的有心之射，而不是无心的不射之射。假如我和你一起登上高山，踩着高耸的岩石，身临万丈深渊，你还能射吗？"于是伯昏无人便领他登上高山，踩着高耸的岩石，身临万丈深渊，他背对着深渊往后退，直到脚有一大半悬在岩石外，才拱手向列御寇让弓，请他射箭。列御寇早已吓得趴在地，汗水流到了脚后跟。

伯昏无人说："得道之人，上能窥视青天，下能潜入黄泉，精神遨游八方，神色气度始终不变。现在你却恐惧得有些眼花缭乱，你于射箭之道还是相差很远啊！"

【原文】

范氏有子曰子华，善养私名①，举国服之；有宠于晋君，不仕而居三卿之右②。目所偏视，晋国爵之；口所偏肥③，晋国黜之。游其庭者侔④于朝。子华使其侠客以智鄙相攻，强弱相凌。虽伤破于前，不用介意。终日夜以此为戏乐，国殆成俗。

禾生、子伯，范氏之上客。出行，经坰⑤外，宿于田更商丘开之舍。中夜，禾生、子伯二人相与言子华之名势，能使存者亡，亡者存；富者贫，贫者富。商丘开先窘于饥寒，潜于牖北听之。因假粮荷畚之子华之门。

子华之门徒皆世族也，缟衣⑥乘轩，缓步阔视。顾见商丘开年老力弱，面色黎黑，衣冠不检，莫不眲⑦之。既而狎侮欺诒⑧，攩拯挨抌⑨，亡所不为。商丘开常无愠容，而诸客之技单⑩，惫于戏笑。

遂与商丘开俱乘高台，于众中漫言曰："有能自投下者，赏百金。"众皆竞应。商丘开以为信然，遂先投下，形若飞鸟，扬于地，骪骨无砀⑪。范氏之党以为偶然，未讵⑫怪也。

因复指河曲之淫隈⑬曰："彼中有宝珠，泳可得也。"商丘开复从而泳之。既出，果得珠焉。众昉⑭同疑。子华昉令豫肉食衣帛之次。

俄而范氏之藏大火。子华曰："若能入火取锦者，从所得多少赏若。"商丘开往无难色，入火往还，埃不漫，身不焦。

范氏之党以为有道，乃共谢之曰："吾不知子之有道而诞[15]子，吾不知子之神人而辱子。子其愚我也，子其聋我也，子其盲我也。敢问其道。"

商丘开曰："吾亡道。虽吾之心，亦不知所以。虽然，有一于此，试与子言之。曩子二客之宿吾舍也，闻誉范氏之势，能使存者亡，亡者存；富者贫，贫者富。吾诚之无二心，故不远而来。及来，以子党之言皆实也，唯恐诚之之不至，行之之不及，不知形体之所措，利害之所存也。心一而已。物亡迕者，如斯而已。今昉知子党之诞我，我内藏猜虑，外矜观听，追幸昔日之不焦溺也，怛然[16]内热，惕然[17]震悸矣。水火岂复可近哉？"

自此之后，范氏门徒路遇乞儿马医，弗敢辱也，必下车而揖之。

宰我闻之，以告仲尼。仲尼曰："汝弗知乎？夫至信之人，可以感物也。动天地，感鬼神，横六合，而无逆者，岂但履危险，入水火而已哉？商丘开信伪物犹不逆，况彼我皆诚哉？小子识之！"

【注释】

①私名：这里指寄食于贵族豪门的门客。②右：古代以右为上为贵，这里指地位高贵。③肥（bǐ）：轻视，鄙薄。④侔（móu）：相等。⑤坰（jiōng）：遥远的野外。⑥缟（gǎo）衣：白色的绢衣。⑦眲（nè）：轻视。⑧诒（dài）：欺骗。⑨攩（dǎng）：捶打。㧙（bì）：推击。挨：推搡。抌（dǎn）：击背。⑩单：通"殚"，竭尽。⑪砀（huī）：毁坏。⑫讵（jù）：通"巨"，大。⑬淫隈：这里指水潭。⑭昉（fǎng）：这里指开始。⑮诞：欺骗，哄骗。⑯怛（dá）然：忧伤，痛苦。⑰惕然：恐惧的样子。

【译文】

范家有个儿子叫子华，喜欢蓄养寄食的门客，全国的人都屈服于他；他很得晋国国君的宠爱，虽然没有官职，但地位却比三位公卿还要高贵。谁被他看中，国君就会给谁爵位；谁被他轻视，国君就会罢免谁。来往于他家厅堂上的人同在朝廷上的人相当。子华叫他所养的门客互相斗智斗勇，强者与弱者互相凌辱。即使受伤流血的人躺在眼前，他也毫不放在心上。他整日整夜以此游戏取乐，几乎成为全国的风俗。

禾生和子伯，是范家尊贵的门客，一次出外游玩，经过荒远郊野，借住在老农商丘开的家里。半夜，禾生与子伯互相谈论子华的名声与势力，说他能使活着的人死去，该死的人活下来；富有的人贫穷，贫穷的人富有。商丘开以前一直为饥寒所困迫，他悄悄地躲到北边窗户下偷听到了他们的谈话。于是借了粮食，挑上畚箕就来到了子华的家门口。

子华所养的门客都出身于世家大族，身穿白色的绢衣，乘坐在高大宽敞的马车上，迈着四方步，眼睛里没有别人。他们瞧见商丘开年老体弱，面色黧黑，衣冠不整，没有一个不小瞧他的。接着又戏弄、侮辱、欺骗他，捶打、推击、推搡、击背，无所不为。商丘开却没有一点愤恨的神情，那些门客欺辱人的手段用尽了，也懒得再戏弄、嘲笑他。

于是同商丘开一起登上高台，并在众人中随意地说："有能从台上自愿跳下去的，奖赏他一百金。"大家都争着响应。商丘开信以为真，首先从台上跳了下去，身形像一只飞鸟，飘扬到了地上，肌肤与骨骼都没有毁坏。范家的门客以为这是偶然成功，因而并没有觉得太奇怪。

于是又指着河道弯曲的水潭说："那水里有宝珠，游下去可以摸到。"商丘开又跳到了水里。游出水面后，果然得到了宝珠。大家这才开始觉得疑惑，子华也才让他加入食肉穿绸的上等门客行列。

没多久范家的仓库发生火灾。子华说："你们有谁能钻进火中抢出锦缎的，我就根据抢出的多少赏赐他。"商丘开面无难色地钻进大火中，来去几次，烟尘没有玷污脸面，身体也没有被烧焦。

范家的门客以为他有什么道术，一齐向他道歉说："我们不知道您有道术而哄骗了您，我们不知道您是神人而侮辱了您。您可以把我们看作是笨蛋，您可以把我们看作是聋子，您可以把我们看作是瞎子。现在我们大胆地向您请教道术。"

商丘开说："我没有什么道术。其实我的心里也不知道这是怎么回事。即使这样，我心中还是有一个感觉，试着向你们说一说。当初你们中有两位门客住在我的家中，我听到他们赞誉范家的权势，能够使活着的人死去，该死的人活下来；富有的人贫穷，贫穷的人富有。我真诚地相信，没有一点怀疑，所以不怕路途遥远而赶来。我来了后，又认为你们的话都是真实可靠的，因而只怕我的诚心不够，行动得不快，并不知道我的身体处在何种境地，也不考虑利害在什么地方，只是专心一意罢了。外物不能阻碍伤害我，如此而已。今天才知道你们在哄骗我，于是我心中便隐藏着猜测与疑虑，身外要慎重地观察测听，回想过去侥幸没有被烧焦、淹死，现在还忧伤痛苦，内心焦灼不安，战战兢兢，恐惧得心悸。哪能再靠近水火呢？"

从此以后，范家的门客在路上遇到乞丐和马医这些穷人，再不敢侮辱，一定要下车拱手行礼。

宰我听说了这件事，告诉孔子。孔子说："你不知道吗？最诚信的人，是可以感动万物的。他们可以感动天地，感动鬼神，纵横天地之间而没有违抗的人，何止身负危险、出入水火而已呢！商丘开相信假话尚且遭不到阻碍伤害，又何况你我都坚守诚信！你们要牢牢记住！"

【原文】

周宣王之牧正有役人梁鸯者，能养野禽兽，委食[①]于园庭之内，虽虎狼雕鹗之类，无不柔驯者。雄雌在前，孳尾[②]成群，异类杂居，不相搏噬也。王虑其术终于其身，令毛丘园传之。

梁鸯曰："鸯，贱役也，何术以告尔？惧王之谓隐于尔也，且一言我养虎之法。凡顺之则喜，逆之则怒，此有血气者之性也。然喜怒岂妄发哉？皆逆之所犯也。夫食虎者，不敢以生物与之，为其杀之之怒也；不敢以全物与之，为其碎之之怒也。时③其饥饱，达其怒心。虎之与人异类，而媚养己者，顺也；故其杀之，逆也。然则吾岂敢逆之使怒哉？亦不顺之使喜也。夫喜之复也必怒，怒之复也常喜，皆不中也。今吾心无逆顺者也，则鸟兽之视吾，犹其侪④也。故游吾园者，不思高林旷泽；寝吾庭者，不愿深山幽谷，理使然也。

【注释】

①食（sì）：喂食。②孳（zī）尾：动物生育繁殖。③时：通"伺"，伺候。④侪（chái）：同类。

【译文】

周宣王的牧正有一个仆役名叫梁鸯，善于驯养野生的飞禽走兽，他在庭院中喂养它们，即使是猛虎饿狼、大雕鱼鹰之类，没有不柔顺的。雌雄禽兽交配繁殖成群的幼禽稚兽，不同种类的禽兽杂居在一起，也不互相搏斗噬咬。周宣王担心这种驯养技术在梁鸯身上终结，便命令毛丘园向他学习。

梁鸯对毛丘园说："我不过是一个低贱的仆役，有什么技术可以告诉你呢？但又怕大王说我对你隐瞒，姑且和你谈谈驯养老虎的方法吧。凡是顺着它就高兴，违逆它就发怒，这是有血气的动物的本性。但高兴与愤怒难道是随便发泄的吗？都是违背它的习俗才导致的。喂养老虎，我不敢用活的动物喂它，因为它奋力咬杀活物就会诱发怒气；我也不敢用完整的动物喂它，因为它使劲撕咬动物也会诱发怒气。要按它的饥饱程度伺候它，顺从它喜怒无常的性情。老虎与人不是同类，能让老虎喜欢驯养它的人，是因为喂养的人顺着它；而它故意伤害人，是因为人违逆它。这样我又哪里敢违逆它使它发怒呢？当然也不完全顺着它使它高兴。因为高兴到了一定程度就会发怒，发怒到了一定程度就会高兴，都不是适中的态度。现在我的心里没有违逆它或顺从它的想法，这样鸟兽对待我，就像对待它们的同类一样了。所以在我的庭院中游玩的禽兽，不思念高大的树林和空旷的水泽；在我的庭院中休憩的禽兽，不向往深山和幽谷，这是顺其自然而使它们这样的。”

【原文】

颜回问乎仲尼曰：“吾尝济乎觞深之渊矣，津人操舟若神。吾问焉，曰：‘操舟可学邪？’曰：‘可。能游者可教也，善游者数[①]能。乃若夫没人，则未尝见舟而谡[②]操之者也。’吾问焉，而不告。敢问何谓也？”

仲尼曰：“譆[③]！吾与若玩[④]其文也久矣，而未达其实，而固且道与。能游者可教也，轻水也；善游者之数能也，忘水也。乃若夫没人之未尝见舟也而谡操之也，彼视渊若陵，视舟之覆犹其车却也。覆却万物方陈乎前而不得入其舍，恶往而不暇？以瓦抠[⑤]者巧，以钩抠者惮，以黄金抠者惛[⑥]。巧一也，而有所矜，则重外也。凡重外者拙内。”

【注释】

①数：通“速”，迅速。②谡（sù）：立即。③譆（yī）：通“噫”，感叹词。④玩：探讨。⑤抠（kōu）：这里指古代的一种博戏。⑥惛（hūn）：心智昏乱。

【译文】

颜回问孔子说：“我曾坐船渡过名叫觞深的深渊，渡船的船夫撑船功夫十分神妙。我问他：‘撑船的技术可以学吗？’他说：‘可以。能游泳的人可以教会，善于游泳的人很快就能学会。至于那些能在深水中潜泳的人，即使从未见过船也能立即学会撑船的技术。’我问他原因，他不告诉我。请问先生这怎么讲呢？”

孔子说：“唉！我和你探讨书本知识已经很久了，却没有达到用事实验证的地步，还谈什么掌握道的本身啊。能够游泳的人可以学会他，是因为他不怕水；善于游泳的人很快就能学会，是因为他不把水放在心上。至于那些能在深水中潜泳的人，即使从未见过船，拿起舵也能撑船，这是因为他把深渊看成是山陵，把舟船的倾覆看成是车子从山坡上后退。万物倾覆、倒退同时出现在他的面前都无法打动他的内心，又有什么能使他不从容自如呢？用瓦片博戏的人就会心思灵巧，用铜带钩博戏的人就会有所惧怕，用黄金博戏的人就会心智昏乱。赌博的技巧是一样的，而有所顾惜，是因为看重身外之物。凡是看重身外之物的人，内心就会笨拙。”

【原文】

孔子观于吕梁，悬水①三十仞，流沫三十里，鼋鼍②鱼鳖之所不能游也。见一丈夫游之，以为有苦而欲死者也，使弟子并流而承之。数百步而出，被发行歌而游于棠行。

孔子从而问之，曰：“吕梁悬水三十仞，流沫三十里，鼋鼍鱼鳖所不能游。向吾见子道之，以为有苦而欲死者，使弟子并流将承子。子出而被发行歌，吾以子为鬼也。察子，则人也。请问蹈水有道乎？”

曰：“亡，吾无道。吾始乎故，长乎性，成乎命。与齎③俱入，与汩④偕出，从水之道而不为私焉。此吾所以道之也。”

孔子曰：“何谓始乎故，长乎性，成乎命也？”

曰：“吾生于陵而安于陵，故也；长于水而安于水，性也；不知吾所以然而然，命也。”

【注释】

①悬水：瀑布。②鼋（yuán）：即癞头鼋。鼍（tuó）：即扬子鳄。③齎（qí）：这里指旋涡。④汩（gǔ）：疾涌而出的水流。

【译文】

孔子在吕梁观赏风光，看见瀑布从几十丈高的地方飞落而下，激起的水花溅出三十里，鼋鼍鱼鳖都无法游过。看见一个成年男子在那水中游，以为他是遭遇困苦而想自杀，便叫弟子顺着水流去救他。这个人潜游了几百步才浮出水面，披散着头发在堤岸下且歌且行。

孔子赶上去问他说："吕梁的瀑布从几十丈高的地方飞落而下，激起的水花溅出三十里，鼋鼍鱼鳖都无法游过。刚才我看见你跳进水中，以为是遭遇困苦而想自杀，便叫弟子顺着水流去救你。你却浮出水面，披散着头发边走边唱，我还以为是鬼呢。仔细看你原来是人。请问游泳有道术吗？"

男子说道："没有，我没有什么道术。我开始于本然，再顺着天性成长，最终成就自然天命。我与旋涡一起卷入水中，随着向上疾涌而出的水流一起浮出水面，顺着水出入而不凭主观的冲动而游。这就是我游泳时遵循的方法。"

孔子问："什么叫作开始于本然，再顺着天性成长，最终成就自然天命呢？"

那人说："我生在山区就安心住在山上，这就叫安于本然；我成长在水边就安心住在水边，这就叫习而成性；我不知道我为何这样做而去做了，这就叫顺应自然天命。"

【原文】

仲尼适楚，出于林中，见痀偻者承蜩[①]，犹掇[②]之也。

仲尼曰："子巧乎！有道邪？"

曰："我有道也。五六月，累垸[③]二而不坠，则失者锱铢；累三而不坠，则失者十一；累五而不坠，犹掇之也。吾处也若橛株驹[④]，吾执臂若槁木之枝。虽天地之大、万物之多，而唯蜩翼之知。吾不反不侧，不以万物易蜩之翼，何为而不得？"

孔子顾谓弟子曰："用志不分，乃凝于神。其痀偻丈人之谓乎！"

丈人曰："汝逢衣徒也，亦何知问是乎？修汝所以，而后载言其上。"

【注释】

①痀偻：老人驼背的样子。承蜩（tiáo）：拿着竿子粘蝉。②掇：拾取。③垸：通"丸"，小圆球。④株驹：断树桩。

【译文】

孔子到楚国去，经过一片树林，看见一位驼背老人在粘蝉，就像是用手拾取东西一般容易。。

孔子问："您真灵巧啊！有技艺吗？"

那人答道："我有技艺。我把两个泥丸摞在竹竿头上，经过五六个月的训练，就不会掉下来，再来粘蝉时失手的次数就很少了；在竹竿头上摞三个泥丸而不掉下来，粘蝉时失手的次数只有十分之一；在竹竿头上摞五个泥丸而不掉下来，粘蝉时就像用手拾取东西一样容易。我站在地上像残断的树桩那样纹丝不动；我伸出手臂像枯槁的树枝一样坚挺。虽然天地很大，万物很多，而我只知道蝉翼。我心无二念，不会因为纷乱的万物影响我对蝉翼的注意力，怎么会粘不到蝉呢？"

孔子回头对弟子说："心志专一而不分散，会使精神凝聚。说的就是这位驼背老人吧！"

老人说："你这个穿长袍大褂的读书人，怎么想起来问这件事呢？先清除你们的那套道理，再来讨论这些道理吧。"

【原文】

海上之人有好沤[①]鸟者，每旦之海上，从沤鸟游，沤鸟之至者百住[②]而不止。其父曰："吾闻沤鸟皆从汝游，汝取来，吾玩之。"明日之海上，沤鸟舞而不下也。

故曰：至言去言，至为无为。齐[③]智之所知，则浅矣。

【注释】

①沤：通"鸥"，海鸥。②住：通"数"。③齐（jì）：限制。

【译文】

海边有个喜欢鸥鸟的人，每天早上到海上去，跟鸥鸟一起玩耍，鸥鸟飞来的数量有上百只不止。他的父亲说："我听说海鸥都爱跟你游玩，你抓一只来，我玩玩。"第二天他来到海上，海鸥都在空中飞翔而不肯下来。

所以说：最妙的语言是摒弃语言，最高绝的作为是无所作为。只限定于个人的智巧，那是很浅陋的。

【原文】

赵襄子率徒十万，狩于中山，藉芿燔[1]林，扇赫百里。有一人从石壁中出，随烟烬上下，众谓鬼物。火过，徐行而出，若无所经涉者。襄子怪而留之，徐而察之：形色七窍，人也；气息音声，人也。问奚道而处石？奚道而入火？

其人曰："奚物而谓石？奚物而谓火？"

襄子曰："而向之所出者，石也；而向之所涉者，火也。"

其人曰："不知也。"

魏文侯闻之，问子夏曰："彼何人哉？"

子夏曰："以商所闻夫子之言，和者大同于物，物无得伤阂者。游金石，蹈水火，皆可也。"

文侯曰："吾子奚不为之？"

子夏曰："刳[2]心去智，商未之能。虽然，试语之有暇矣。"

文侯曰："夫子奚不为之？"

子夏曰："夫子能之而能不为者也。"

文侯大说[3]。

【注释】

①藉芿（jiè rèng）：踩踏乱草。燔：焚烧。②刳（kū）：这里指把物欲剔除干净，使心灵空虚无执。③说（yuè）：同"悦"，高兴。

【译文】

赵襄子率领仆从十万人，在中山国打猎，践踏杂草烧毁树林，炽烈的火势烧及百里之远。有个人从石壁中走出来，跟随着烟火忽上忽下，大家都以为是鬼。火势过去以后，他慢慢地走出来，像什么也没有涉足经历过一样。赵襄子感到奇怪，便留住他。慢慢地观察他：看他的形貌、肤色、七窍，是人；呼吸声音，也是人。于是问他什么道术使他能住在石壁中？什么道术使他能进入火焰中？

那人说："什么东西叫作石壁？什么东西叫作火焰？"

赵襄子说："你刚才出来的地方就是石壁，你刚才所经历的东西就是火焰。"

那人说："我不知道。"

魏文侯听说这件事后，问子夏说："那是个什么样的人？"

子夏说："以我从孔子那里听来的话说，中和之人与万物完全融合，因而万物不能伤害与阻碍他，在金石中游玩，在水火中行走，都是可以的。"

魏文侯又问："你为什么不这样做呢？"

子夏说："剔除物欲，抛弃智巧，我不能办到。即使这样，姑且试着讨论这些道理还是可以的。"

文侯说："孔子为什么不这样做呢？"

子夏说："他老人家能办得到，但是不愿意这样做。"

文侯听了十分高兴。

【原文】

有神巫自齐来处于郑，命曰季咸，知人死生存亡、祸福寿夭，期以岁月旬日，如神。郑人见之，皆避而走。

列子见之而心醉，而归以告壶丘子，曰："始吾以夫子之道为至矣，则又有至焉者矣。"

壶子曰："吾与汝无其文，未既其实，而固得道与？众雌而无雄，而又奚卵焉？而以道与世抗，必信矣，夫故使人得而相汝。尝试与来，以予示之。"

明日，列子与之见壶子。出而谓列子曰："譆！子之先生死矣，弗活矣，不可以旬数矣。吾见怪焉，见湿灰焉。"列子入，涕泣沾衿，以告壶子。

壶子曰："向吾示之以地文，罪乎不诹[①]不止，是殆见吾杜德几也。尝又与来！"

明日，又与之见壶子。出而谓列子曰："幸矣！子之先生遇我也，有瘳[②]矣。灰然有生矣，吾见杜权矣。"列子入告壶子。

壶子曰："向吾示之以天壤，名实不入，而机发于踵，此为杜权。是殆见吾善者几[3]也。尝又与来！"

明日，又与之见壶子。出而谓列子曰："子之先生坐不齐，吾无得而相焉。试齐，将且复相之。"列子入告壶子。

壶子曰："向吾示之以太冲莫眹，是殆见吾衡气几也。鲵[4]旋之潘为渊，止水之潘为渊，流水之潘为渊，滥水之潘为渊，沃水之潘为渊，氿水[5]之潘为渊，雍水之潘为渊，汧水[6]之潘为渊，肥水之潘为渊，是为九渊焉。尝又与来！"

明日，又与之见壶子。立未定，自失而走。壶子曰："追之！"列子追之而不及，反以报壶子，曰："已灭矣，已失矣，吾不及也。"

壶子曰："向吾示之以未始出吾宗。吾与之虚而猗移[7]，不知其谁何，因以为茅靡，因以为波流，故逃也。"

然后列子自以为未始学而归，三年不出，为其妻爨[8]，食狶[9]如食人，于事无亲，雕瑑[10]复朴，块然独以其形立，忿[11]然而封戎，壹以是终。

【注释】

①诋（zhèn）：同"震"，动。②瘳（chōu）：疾病痊愈。③几：机兆。④鲵（ní）：鲸鲵。⑤氿（guǐ）水：从侧面涌出的水流。⑥汧（qiān）水：从地上冒出后积存的水。⑦猗（wēi）移：通"委蛇"，顺从。⑧爨（cuàn）：烧火做饭。⑨食狶（xi）：喂猪。⑩瑑（zhuàn）：玉器上凸起的花纹。⑪忿（fēn）：混乱。

【译文】

有一个神巫从齐国来到郑国居住，名字叫季咸，能够测知人的生死存亡、祸福夭寿，所预言的吉凶在指定的日期发生，应验如神。郑国人见了他，都避开他走得远远的。

列子见到他，却佩服得如痴如醉，并回来把这事告诉了壶丘子，说："原来我以为先生的道术是最高的，现在才知道又有高深的了。"

壶子说："我教授给你的仅仅是道的外表，还没有教授给你道的实质，你难道以为得道了吗？只有许多雌性动物而没有雄性动物，又怎么能产卵呢？你用表面之道与世人较量，必然要暴露心迹，所以才让神巫得以给你占卜吉凶祸福。你试试把他请来，让他看看我的相。"

第二天，列子带着季咸来见壶子。季咸出来后对列子说："唉！您的先生要死了，不能活了，过不了十天了。我见到了怪异的症状，就像湿灰一样毫无生机。"列子进去后，眼泪湿透了衣襟，把季咸的话告诉了壶子。

壶子说："刚才我把寂静的心境显示给他看，茫然无知，不动不止，这大概是他看见我闭塞了生机。再请他来一趟吧！"

第二天，列子又带季咸来见壶子。季咸出来后对列子说："幸运啊！您的先生遇上了我，可以痊愈了。他全然有生机，我看见他闭塞中显出活力。"列子进去把这话告诉了壶子。

壶子说："刚才我把天地间变化生长的气象显示给他看，虚名实利都不能侵入，生机自上而下地发动，这大概是他看见我生意萌动的机兆了。再请他来一趟吧！"

第二天，列子又带季咸来见壶子。季咸出来后对列子说："您的先生神色变化不定，我没法给他看相。等他心神安定下来，我再来给他看。"列子进去把季咸的话告诉了壶子。

壶子说："刚才我把没有偏胜的冲漠之气显示给他看，这大概是他看见我心气平稳的机兆了。鲸鲵盘旋的深水成为渊，不流动的深水成为渊，流动的深水成为渊，泛涌而上的回旋水流成为渊，下注的回旋水流成为渊，从侧面流出的回旋水流成为渊，决出水道而又回流的水成为渊，从地上冒出后积止的水成为渊，不同源而后合流的水成为渊，这就是九渊。再请他来一趟吧！"

第二天，列子又带季咸来见壶子。还没有站定，季咸就惊慌失色地逃走了。壶子说："追上他！"列子追赶不上，回来报告壶子，说："季咸已经无影无踪，不知去向了，我追不上他了。"

壶子说："刚才我没有展露我的宗本给他看。我只是显示出心地虚寂而随物顺化的样子，他摸不清我所使用的是什么道术，只看见我如草随风而倒，如水逐波而流的状态，所以就逃走了。"

这以后列子自认为自己好像不曾求师学道，便返回故里自学，三年不出门，替妻子烧火做饭，喂猪像伺候人一样周到，对任何事物都没有偏爱，不事雕琢而复归真朴，无知无情的像槁木死灰一样，在纷繁的世事中能封闭心窍而不被干扰，终身持守着纯一之道。

【原文】

子列子之齐，中道而反，遇伯昏瞀人。

伯昏瞀人曰："奚方而反？"

曰："吾惊焉。"

"恶乎惊？"

"吾食于十浆[1]，而五浆先馈。"

伯昏瞀人曰："若是，则汝何为惊已？"

曰："夫内诚不解，形谍[2]成光，以外镇人心，使人轻乎贵老，而整[3]其所患。夫浆人特为食羹之货，多余之赢；其为利也薄，其为权也轻，而犹若是。而况万乘之主，身劳于国，而智尽于事；彼将任我以事，而效我以功。吾是以惊。"

伯昏瞀人曰："善哉观乎！汝处己，人将保汝矣。"

无几何而往，则户外之屦[4]满矣。伯昏瞀人北面而立，敦杖蹙[5]之乎颐。立有间，不言而出。宾者以告列子。列子提履徒跣[6]而走，暨乎门，问曰："先生既来，曾不废药乎？"

曰："已矣。吾固告汝曰，人将保汝，果保汝矣。非汝能使人保汝，而汝不能使人无汝保也，而焉用之感也？感豫出异。且必有感也，摇而本身，又无谓也。与汝游者，莫汝告也。彼所小言[7]，尽人毒也。莫觉莫悟，何相孰也？"

【注释】

①十浆：十家卖浆的店铺。②谍：通“渫”，泄。③鳌（jī）：招致。④屦（jù）：草鞋。⑤蹙（cù）：皱。⑥跣（xiǎn）：赤脚。⑦小言：细巧而不入大道的言论。

【译文】

列子到齐国去，半路上又返了回来，遇到了伯昏瞀人。

伯昏瞀人问：“什么缘故半路就回来了？”

列子说：“我感到震惊。”

“为什么震惊？”

“我曾到十家卖浆的店铺里饮浆，刚到那里就有五家店铺赠送给我浆。”

伯昏瞀人问：“像这样的事，你为什么要感到震惊呢？”

列子说：“真诚积聚于胸中，就会外泄为光仪，用来对外压服人心，使人们对自己的敬重超过了老人，从而招致祸患。那些卖浆的人只是做点羹汤的买卖罢了，赢利并不多；他们获得的利润很少，所拥有的权势很小，尚且如此尊敬我。又何况拥有万乘兵车的君主，他们为国事操劳，为政事竭尽心智；他将会把重任交给我而要我建功效力，所以我感到震惊。”

伯昏瞀人说：“你真会观察问题啊！你且安居吧，人们将会归附你了。”

时隔不久，伯昏瞀人去见列子，看到门外前来拜访者的草鞋都已经摆满了。伯昏瞀人向北站着，用手杖拄着下巴而使皮肉皱起。站了一会儿，没有说话就走了。接待宾客的人把这事告诉了列子。列子提着鞋赤脚跑了出来，追到大门口，问道：“先生既然来了，为什么还不用药石之言启发开导我呢？”

伯昏瞀人说：“算了吧。我本来就告诉过你，人们要来归附你，现在果然归附你了。不是你能使别人归附你，而是你不能使别人不归附你，你何必显示出与众不同的迹象而使人们如此欢愉呢？你以异常的表现感动他们，他人也必定会以欢愉摇撼你的本性，这又没有什么益处。与你交游的人，不能把这番道理告诉你。他们那些细巧而不入大道的言论，尽是毒害人心的。没有人能够从中觉悟，大家又怎么能互相获得教益呢？”

【原文】

杨朱南之沛，老聃西游于秦。邀于郊。至梁而遇老子。老子中道仰天而叹曰：“始以汝为可教，今不可教也。”杨朱不答。

至舍，进涫漱巾栉[①]，脱履户外，膝行而前，曰：“向者夫子仰天而叹曰：‘始以汝为可教，今不可教。’弟子欲请夫子辞，行不间，是以不敢。今夫子间矣，请问其过。”

老子曰：“而睢睢[②]，而盱盱[③]，而谁与居？大白若辱[④]，盛德若不足。”

杨朱蹴然变容曰：“敬闻命矣！”

其往也，舍者迎将家，公执席，妻执巾栉，舍者避席，炀者[⑤]避灶。其反也，舍者与之争席矣。

【注释】

①涫（guàn）：通“盥”，盥洗。这里指洗脸洗手的水。栉（zhì）：梳子。②睢睢（suī suī）：张目，傲视的样子。③盱盱（xū xū）：仰目，傲视的样子。④辱：谓黑。⑤炀（yàng）者：炊夫。

【译文】

杨朱向南到沛地，老子西游到秦地。杨朱在沛地的郊外迎候老子，至梁地遇到了老子。老子在半路上仰天长叹道：“起初我以为你是可以教导的，现在看来不可教导了。”杨朱没有作声。

到了旅舍，杨朱给老子送上洗脸水、漱口水、毛巾和梳子，把鞋子脱在门外，跪着行到老子面前，说：“刚才您老人家仰天长叹道：‘起初我以为你是可以教导的，现在看来不可教导了。’学生想请教您原因，但路上您忙着赶路，所以不敢问。现在您有空了，请问我哪里做错了。”

老子说：“你神态傲慢，谁还愿意和你相处呢？最清白的人应该认为自己仍有黑点，最有道德的人应该认为自己仍要以谦卑自居。”

杨朱因惭愧不安而变了脸色，说：“敬听先生的教诲了。”

杨朱到沛地去的时候，旅舍中的人全都出来迎送，旅舍男主人为他安排座席，女主人为他拿来毛巾和梳子，旅舍的客人让出了座席，灶前的炊夫让出了灶门。当他从沛地回来的时候，旅舍的客人们已不再拘束，开始同他争抢座席了。

【原文】

杨朱过宋，东之于逆旅①。逆旅人有妾二人，其一人美，其一人恶②；恶者贵而美者贱。杨朱问其故。逆旅小子③对曰：“其美者自美，吾不知其美也；其恶者自恶，吾不知其恶也。”

杨朱曰：“弟子记之！行贤而去自贤之行，安往而不爱哉？”

【注释】

①逆旅：旅店。②恶：丑陋。③小子：旅店主人。

【译文】

杨朱经过宋国，向东投宿到一家旅店。旅店主人有两个小妾，其中一人美丽，一人丑陋；丑陋的受主人尊宠而美丽的却被轻视。杨朱问其中缘故。旅店主人回答说：“那个美丽的自以为美丽，我却并不觉得她美丽；那个丑陋的自以为丑陋，我却并不觉得她丑陋。”

杨朱说：“弟子们记住！品行高尚而又能去掉自以为高尚之心的人，到哪里会不受人敬重呢？”

【原文】

天下有常胜之道，有不常胜之道。常胜之道曰柔，常不胜之道曰强。二者亦①知，而人未之知。故上古之言：强，先不己若者；柔，先②出于己者；先不己若者，至于若己，则殆矣。先出于己者，亡所殆矣。以此胜一身若徒③，以此任天下若徒，谓不胜而自胜，不任而自任也。

粥子曰："欲刚，必以柔守之；欲强，必以弱保之。积于柔必刚，积于弱必强。观其所积，以知祸福之乡[④]。强胜不若己，至于若己者刚；柔胜出于己者，其力不可量。"

老聃曰："兵强则灭，木强则折。柔弱者生之徒，坚强者死之徒。"

【注释】

①亦：容易。②先：这里指外界的事物。③若徒：这里意指甘心为下。④乡：通"向"，趋向，趋势。

【译文】

天下有能常取胜的道，有不常胜的道。经常取胜的道叫作柔弱，不能经常取胜的道叫作刚强。二者差别很明显，但人们却不懂得。所以上古有句话说：刚强可以战胜力量不如自己的人，柔弱可以战胜力量超过自己的人。只是战胜力量不如自己的人，一旦碰到力量与自己相当的人，那就危险了。战胜力量超过自己的人，就没有危险了。以柔弱战胜一个人，那个人会甘心为下，以柔弱统治天下人，天下人会甘心为下。这叫作不是有意取胜却已取胜，不是有意统治却已统治。

鬻子说过："要想刚硬，必须要坚守柔软；要想强大，必须要保持柔弱。柔软积聚多了一定刚硬，柔弱积聚多了一定坚强。观察它们积聚的是什么，就可以知道祸与福的发展趋势了。用刚强战胜力量不如自己的人，碰到力量与自己相当的人就会受挫折；用柔弱战胜力量超过自己的人，他的力量不可估量。"

老子说："刚强的军队会被消灭，刚强的树木会被折断。柔弱属于生存的一类，坚强属于死亡的一类。"

【原文】

状不必童[①]，而智童；智不必童，而状童。圣人取童智而遗童状，众人近童状而疏童智。状与我童者，近而爱之；状与我异者，疏而畏之。有七尺之骸，手足之异，戴发含齿，倚而趣者，谓之人；而人未必无兽心。虽有兽心，以状而见亲矣。傅翼戴角，分牙布爪，仰飞伏走，谓之禽兽；而禽兽未必无人心。虽有人心，以状而见疏矣。庖牺氏[②]、女娲氏、神农氏、夏后氏[③]，蛇身人面，牛首虎鼻：此有非人之状，而有大圣之德。夏桀、殷纣、鲁桓、楚穆，状貌七窍，皆同于人，而有禽兽之心。而众人守一状以求至智，未可几[④]也。黄帝与炎帝战于阪泉之野，帅熊、罴[⑤]、狼、豹、貙、虎为前驱，雕、鹖[⑥]、鹰、鸢为旗帜，此以力使禽兽者也。尧使夔典乐，击石拊石，百兽率[⑦]舞；《箫韶》九成，凤皇来仪：此以声致禽兽者也。然则禽兽之心，奚为异人？形音与人异，而不知接之之道焉。圣人无所不知，无所不通，故得引而使之焉。禽兽之智有自然与人童者，其齐欲摄生，亦不假智于人也。牝牡相偶，母子相亲；避平依险，违寒就温；居则有群，行则有列；小者居内，壮者居外；饮则相携，食则鸣群。太古之时，则与人同处，与人并行。帝王之时，始惊骇散乱矣。逮于末世，隐伏逃窜，以避患害。今东方介氏之国，其国人数数[⑧]解六畜之语者，盖偏知之所得。太古神圣之人，备知万物情态，悉解异类音声。会而聚之，训而受之，同于人民。故先会鬼神魑魅[⑨]，次达八方人民，末聚禽兽虫蛾。言血气之类，心智不殊远也。神圣知其如此，故其所教训者无所遗逸焉。

【注释】

①童：“同”的同声假借字。②庖牺氏：即伏羲氏。③夏后氏：即大禹。④几：希望。⑤罴（pí）：熊的一种。⑥鹖（hé）：鸟名。⑦率：相从。⑧数数（shuò）：这里指勉强。⑨魑魅（chī mèi）：传说中山泽的鬼怪。

【译文】

形貌不一定相同，而智慧相同；智慧不一定相同，而形貌相同。圣人选取相同的智慧而不选取相同的形貌，一般人却选取相同的形貌而不选取相同的智慧。形貌与自己相同的，便亲近而喜爱它；形貌与自己不同的，便疏远而害怕它。凡有七尺长的身躯，手与脚不一样，头上长头发，口中生牙齿，能站立并快步行走的，叫作人；而人未必没有禽兽之心。即使有禽兽之心，也因为有人的形貌而得到他人的亲近。身上长翅，头上生角，龇着牙齿，张着脚爪，抬着头飞，低着头跑，叫作禽兽；而禽兽未必没有人心，即使有人心，也因为有禽兽的形貌而被人疏远。伏羲氏、女娲氏、神农氏、夏后氏，或者是蛇身人面，或者是牛头虎鼻：他们都有着不同于人的形貌，却有大圣人的品德。夏桀王、殷纣王、鲁桓公、楚穆王，他们的形貌面貌与七窍都和人一样，却有禽兽之心。而人们坚持认为他们有和人一样的形貌而希望他们有很高的智慧，这是办不到的。黄帝在阪泉的郊野与炎帝作战时，曾统率熊、罴、狼、豹、貙、虎为前驱，雕、鹖、鹰、鸢为旗帜，这是用力量役使禽兽的例子。尧任用夔主管音乐，他敲击着磬钟，各种野兽跟着跳舞；他演奏《萧韶》乐曲九阕，凤凰也来朝拜：这是用乐声吸引禽兽的例子。既然如此，那么禽兽之心，又怎么会与人不同呢？只是它们的形貌声音与人不同，一般人便不知道与它们交往的方法罢了。圣人没有什么不知道的，没有什么不通晓的，所以能吸引并能役使它们。禽兽的智慧有生来就与人相同的，它们都想争取生存，这方面的智慧不比人低。雌雄互相匹配，母子互相亲爱；避开平地而依托险峻，逃离寒冷而寻求温暖；居住时结伙成群，出行时依次成列；弱小的住在里面，强壮的守在外面；喝水时互相提携，吃食时一起鸣叫。上古的时候，禽兽和人类在一起居住，和人类一同出行。到了有帝王的时候，禽兽才开始被人惊吓而散乱了。等到衰败的乱世，禽兽见人更是隐藏逃窜，以避免祸患。现在东方有个介氏之国，这个国家的人勉强懂一些六畜的语言，这是他们靠片面的知识而得到的才能。上古的神圣之人，对万物的性质形态全都明白，对异类的语言声音全都了解。把它们会合聚集起来，对它们进行训练教授，和对待人民一样。所以先会合鬼神妖怪，然后通达八方人民，最后聚集禽兽昆虫。这说明有血气的动物，它们的头脑智慧相差得并不太远。神圣之人明白这个道理，所以他们教授训练所有的动物没有什么遗漏。

【原文】

宋有狙公[①]者，爱狙，养之成群。能解狙之意，狙亦得公之心。损其家口，充狙之欲。

俄而[②]匮焉，将限其食。恐众狙之不驯于己也，先诳之曰："与若芧[③]，朝三而暮四，足乎？"众狙皆起而怒。

俄而曰："与若芧，朝四而暮三，足乎？"众狙皆伏而喜。

物之以能鄙相笼[④]，皆犹此也。圣人以智笼群愚，亦犹狙公之以智笼众狙也。名实不亏，使其喜怒哉！

【注释】

①狙公（jū）：养猴子的老者。②俄而：不久。③芧（xù）：橡栗。④笼：笼络。

【译文】

宋国有个养猴子的老者，很喜欢猴子。他养了一群猴子，了解猴子的所思所想，猴子也懂得他的心意。老者还减少家里人的口粮，以满足猴子的需要。

不久家里的粮食匮乏起来，他打算限制猴子的食物，又担心猴子不听自己的话，便先欺骗它们说："喂你们橡栗，早上三个，晚上四个，够吗？"众猴子都跳起来发了怒。

过了一会儿他又说："喂你们橡栗，早上四个，晚上三个，够吗？"猴子们听了，都趴在地上十分高兴。

万物之所以能用智巧与鄙俗的方法笼络，道理就在这里。圣人用智慧来笼络那些愚笨的人，也就像养猴老者用智慧笼络那些猴子一样。名义与实际都没有亏损，却能使它们时而高兴，时而发怒啊！

【原文】

纪渻子[①]为周宣王养斗鸡。

十日而问："鸡可斗已乎？"

曰："未也，方虚骄[②]而恃气。"

十日又问。

曰：“未也，犹应影③响④。”

十日又问。

曰：“未也，犹疾视而盛气。

十日又问。

曰：“几矣。鸡虽有鸣者，已无变矣。望之似木鸡矣，其德全矣。异鸡无敢应者，反走⑤耳。”

【注释】

①纪渻（shěng）子：虚构的人物。②虚骄：虚浮而骄矜。③影：指鸡的身影。④响：指鸡的声音。⑤反走：转身跑掉。

【译文】

纪渻子为周宣王饲养斗鸡。

周宣王过了十天就问：“鸡可以斗了吗？”

回答说：“不行，它正虚浮骄矜，自恃意气。”

过了十天又问。

回答说：“不行，它对别的鸡的影子和声音有反应。”

过了十天又问。

回答说：“不行，它的目光锐利而气势旺盛。”

过了十天又问。

回答说：“差不多了，即使别的鸡大声鸣叫，它的情绪也不会变动了。看上去像个木头鸡了。它的德行已经完整了。别的鸡没有敢应战的，只有转身跑掉了。”

【原文】

惠盎见宋康王。康王蹀足謦欬①，疾言曰：“寡人之所说者，勇有力也，不说为仁义者也。客将何以教寡人？”

惠盎对曰：“臣有道于此，使人虽勇，刺之不入，虽有力，击之弗中。大王独无意邪？”

宋王曰：“善；此寡人之所欲闻也。”

惠盎曰：“夫刺之不入，击之不中，此犹辱也。臣有道于此，使人虽有勇，弗敢刺，虽有力，弗敢击。夫弗敢，非无其志也。臣有道于此，使人本无其志也。夫无其志也，未有爱利之心也。臣有道于此，使天下丈夫女子，莫不驩[2]然皆欲爱利之。此其贤于勇有力也，四累[3]之上也。大王独无意邪？”

宋王曰：“此寡人之所欲得也。”

惠盎对曰：“孔、墨是已。孔丘、墨翟，无地而为君，无官而为长；天下丈夫女子莫不延颈举踵而愿安利之。今大王，万乘之主也，诚有其志，则四竟之内[4]皆得其利矣。其贤于孔、墨也远矣。”宋王无以应。

惠盎趋而出。宋王谓左右曰：“辩[5]矣，客之以说服寡人也！”

【注释】

①謦欬（qǐng kài）：咳嗽。②驩（huān）：通“欢”。③四累：指“勇有力”，“刺之不入，击之不中”，“弗敢刺”“弗敢击”，“本无其志”四种情况。④四竟之内：指全国。竟，通“境”。⑤辩：能言善道。

【译文】

惠盎拜见宋康王。康王正顿足咳嗽，急急地说：“我所喜欢的是勇猛且有力量的人，不喜欢谈论仁义道德的人。您打算用什么来教导我呢？”

惠盎回答说：“我这里有一种道术，能使别人即使勇猛，也刺不进我的身体；即使有力量，也打不中我。大王难道对此没有兴趣吗？”

宋康王说：“好！这正是我想要听到的。”

惠盎说：“刺我不进，打我不中，这对我来说还是在受侮辱。我这里还有一种道术，能使人即使勇猛却不敢刺我，即使有力量却不敢打我。不过不敢并不等于不想。我这里还有一种道术，能使人根本就不想刺人打人。没有刺人打人的想法，也没有爱护帮助人的想法。我这里还有一种道术，能使天下的男人女人，没有不欢欢喜喜爱护帮助人的。这比勇猛有力量要好得多，是比上述四种道术都好的道术。大王难道对此没有兴趣吗？”

宋康王说：“这正是我所想要得到的。”

惠盎说：“孔子、墨子就是这样啊。孔丘、墨翟，没有土地却被视作君主，没有官职却被视作官长，天下的男人女人没有不伸着脖子踮着脚，希望得到安定和帮助的。现在大王是一个拥有万乘兵车的君主，如果真有这样的志向，那么全国的百姓就都能得到好处。那恩惠就会比孔丘、墨翟多得多了。”宋康王无话可说。

惠盎快步走了出去。宋康王对身边的人说：“真是能言善道啊，他竟以这样的话把我说服了。”

周穆王第三

【题解】

作者在本卷中，宣扬了浮生若梦、得失苦乐皆为虚妄的思想。作者通过展现神妙莫测的幻界，证明无论是有生命的个体，还是有形态的物体，都不过是虚无的幻象，即使本身瑰丽奇特，最终都将随着生死阴阳的转化而归于消亡。唯有造化万物的大道，才能够长存而无穷；唯有秉持虚静坦荡的心怀，才能面对纷纭变幻的外部世界。

【原文】

周穆王时，西极之国有化人[①]来，入水火，贯金石；反山川，移城邑；乘虚不坠，触实不硋[②]。千变万化，不可穷极。既已变物之形，又且易人之虑。穆王敬之若神，事之若君。推路寝以居之，引三牲以进之，选女乐以娱之。化人以为王之宫室卑陋而不可处，王之厨馔腥蝼而不可飨，王之嫔御[③]膻恶而不可亲。穆王乃为之改筑。土木之功，赭垩之色，无遗巧焉。五府为虚，而台始成。其高千仞，临终南之上，号曰中天之台。简郑、卫之处子娥媌[④]靡曼者，施芳泽，正蛾眉，设笄珥，衣阿锡[⑤]，曳齐纨，粉白黛黑，佩玉环，杂芷若[⑥]以满之，奏《承云》《六莹》《九韶》《晨露》以乐之。月月献玉衣，旦旦荐玉食。化人犹不舍然，不得已而临之。

居亡几何，谒王同游。王执化人之袪[⑦]，腾而上者，中天乃止。暨及化人之宫。化人之宫，构以金银，络以珠玉；出云雨之上而不知下之据，望之若屯云焉。耳目所观听，鼻口所纳尝，皆非人间之有。王实以为清都、紫微、钧天、广乐，帝之所居。王俯而视之，其宫榭若累块积苏焉。王自以居数十年不思其国也。化人复谒王同游。所及之处，仰不见日月，俯不见河海。光影所照，王目眩不能得视；音响所来，王耳乱不能得听。百骸六藏，悸而不凝。意迷精丧，请化人求还。化人移之，王若殒虚[8]焉。既寤，所坐犹向者之处，侍御犹向者之人。视其前，则酒未清，肴未昲[9]。王问所从来。左右曰："王默存耳。"

由此穆王自失者三月而复。更问化人。化人曰："吾与王神游也，形奚动哉？且曩之所居，奚异王之宫？曩之所游，奚异王之圃？王闲恒有，疑蹔[10]亡。变化之极，徐疾之间，可尽模哉？"王大悦。不恤国事，不乐臣妾，肆意远游。命驾八骏之乘，右服[11]骅骝而左绿耳，右骖[12]赤骥而左白䕯[13]，主车则造父为御，离𥓮[14]为右；次车之乘，右服渠黄而左逾轮，左骖盗骊而右山子，柏夭主车，参百为御，奔戎为右。驰驱千里，至于巨蒐[15]氏之国。巨蒐氏乃献白鹄之血以饮王，具牛马之湩[16]以洗王之足，及二乘之人。已饮而行，遂宿于昆仑之阿，赤水之阳。别日升于昆仑之丘，以观黄帝之宫，而封之以诒后世。遂宾于西王母，觞于瑶池之上。西王母为王谣，王和之，其辞哀焉。西观日之所入，一日行万里。王乃叹曰："於乎！予一人不盈于德而谐于乐，后世其追数吾过乎！"

穆王几神人哉！能穷当身之乐，犹百年乃徂，世以为登假焉。

【注释】

①化人：有幻术的人。②硋（ài）：阻碍。③嫔御：嫔妃。④娥媌（miáo）：美艳。⑤阿：今山东东阿。锡：细布。⑥芷若：香草名。⑦袪（qū）：衣袖。⑧殒虚：从虚空中坠落。⑨昲（fèi）：这里为晒干之意。⑩蹔（zàn）：通"暂"，暂时。⑪服：古代一车驾四马，中间两匹叫作"服"。⑫骖：一车驾三马，最外侧的两匹马叫作"骖"。⑬白䕯（yì）：马名。⑭离𥓮（tài bǐng）：人名。⑮巨蒐（qú sōu）：西戎国名。⑯湩（dòng）：乳汁。

【译文】

周穆王时，西方极远之国来了个能操幻术的人，这个人能进入水火之中，穿过金属岩石；能翻山倒河，移动城邑；这个人能够悬浮在虚空中不坠落，碰到物体不被阻碍。千变万化，无穷无尽。他既能改变事物的形状，又能改变人的思想。周穆王对他像天神一样崇敬，像国君一样侍奉。他让出自己的寝宫让他居住，用祭祀神灵的牛、羊、猪向他进献，挑选能歌善舞的美女供他娱乐。可是这个能操幻术的人却认为周穆王的宫殿卑简微陋不能居住，周穆王的食物腥臭难闻不能享用，周穆王的嫔妃又膻又丑不能亲近。于是周穆王为他另筑宫殿。土木精巧雕梁画栋，装饰粉刷斑斓五彩，到了不能再巧妙的程度。周穆王把国库的钱财全部耗尽，才把楼台建成。楼台高千仞，比终南山还要高，称作中天之台。挑选郑国、卫国妖娆柔媚的女子，体洒香水，修饰蛾眉，戴上首饰耳环，穿上东阿的细布，腰系齐国的绢绸，敷着蜜粉，描眉画唇，佩珠玉，戴手镯，再带上各种香草，在这座楼台上，演奏《承云》《六莹》《九韶》《晨露》等动听的音乐使他快乐。此外，每月送去最美的衣服，每天送上最可口的食物。可是那位能操幻术的人仍旧不觉高兴，不得已才住进去。

没住多久，能操幻术的人邀请周穆王一同出去游玩。周穆王拉着他的衣袖，腾云而上，到天的中央才停下来。接着便到了能操幻术的人的宫殿。他的宫殿用金银构筑，用珍珠玉石装饰；耸立在云雨之上，不知道它下面以什么为依托，看上去好像是屯留在白云之中。耳朵所能听到的，眼睛所能看到的，鼻子所能闻到的，口舌所能尝到的，都是人间所没有的东西。周穆王以为到了天帝所居住的清都、紫微宫，以为到了奏着钧天、广乐仙曲的神居之所。周穆王低头往地面上看去，只见自己的宫殿楼台就像是累叠起来的土块和堆起来的杂草。周穆王觉得自己即使在这里住上几十年也不会想念自己的国家。能操幻术的人又请周穆王一同游玩。所到之处，抬头不见太阳月亮，低头不见江河海洋。光影照射的地方，周穆王眼花缭乱无法看清楚；音响传来，周穆王耳鸣声乱无法听清。全部的骨节和五脏六腑，全都颤抖而不能平静。周穆王意志昏迷，精神颓丧，于是请求带他回去。能操幻术之人推了他一把，周穆王好像从虚空中坠落下来。醒来以后，还是坐在原来的地方，两旁还是原来侍候他的人。看看眼前的东西，酒还是刚倒出来的，菜肴还没有放干。周穆王问左右自己是从什么地方来的，左右回答："大王不过是默默地待了一会儿。"

从此，周穆王精神恍惚了三个月才恢复正常。周穆王再问能操幻术之人。那人说："我与大王在梦中游玩罢了，身体何尝移动过呢？而且您在天上看到的宫殿，与大王自己的宫殿又有什么不同呢？您在天上游玩的花园，与大王自己的花园又有什么不同呢？大王习惯了经常看到的东西，对暂时的变化感到疑惑。其实即使是事物最大的变化，无论是慢一点的变化还是快一点的变化，怎可能如实地描绘出来呢？"穆王大为高兴，从此不过问国家大事，不亲近迷恋大臣与嫔妃，随心所欲地去遥远的地方游玩，他下令用天下最好的八匹骏马来驾车，主车中间有服马两匹，右为骅骝，左为绿耳；最外侧两匹骖马，右为赤骥，左为白䘌，周穆王坐在这辆车上，由造父驾驭，𫐓𪊲为车右；后面随从的车辆有服马两匹。右为渠黄，左为逾轮，最外侧两匹骖马，左为盗骊，右为山子，由柏夭主乘，参百驾驭，奔戎为车右。驰驱了一千里，到了巨蒐氏之国。巨蒐氏献上白天鹅的鲜血供周穆王饮用，还准备了牛马的乳汁给周穆王洗脚，并供奉所有乘车与驾车的人。宴饮完毕后，周穆王一行继续前进，又歇宿在昆仑山的弯曲处，赤水的北面。第二天登上昆仑山巅，观览了黄帝的宫殿，并修缮整新一番，以传于后世。这之后又成为西王母的贵宾，在瑶池上宴饮。西王母为周穆王吟咏歌谣，周穆王也跟着唱和，歌词哀婉动人。之后又观赏了太阳西下的情景，一天走了一万里。周穆王于是叹道："哎呀！我不修养道德而只知道享乐，后世的人恐怕要谴责我的罪过了吧！"

穆王几乎是神人了！他一生中享尽了快乐，还活了一百岁才去世，当时的人们都以为他升天了。

【原文】

老成子学幻于尹文先生，三年不告。老成子请其过而求退。

尹文先生揖而进之于室，屏左右而与之言曰："昔老聃之徂[①]西也，顾而告予曰：有生之气，有形之状，尽幻也。造化之所始，阴阳之所变者，谓之生，谓之死。穷数达变，因形移易者，谓之化，谓之幻。造物者其巧妙，其功深，固难穷难终。因形者其巧显，其功浅，故随起随灭。知幻化之不异生死也，始可与[②]学幻矣。吾与汝亦幻也，奚须学哉？"

老成子归，用尹文先生之言深思三月，遂能存亡自在，憣校[③]四时；冬起雷，夏造冰；飞者走，走者飞。终身不箸其术，故世莫传焉。

子列子曰："善为化者，其道密庸[④]，其功同人。五帝之德，三王之功，未必尽智勇之力，或由化而成，孰测之哉？"

【注释】

①徂：去，往。②与：以。③憣（fān）：通"翻"，翻转，颠倒。校：亦作"交"，交错之意。④庸：作用。

【译文】

老成子向尹文先生学习幻化之术，过了三年也没有得到尹文先生的传授。老成子请尹文先生指出自己错在哪里，并要求退学。

尹文先生向他拱手作揖，引他进入室内，屏退里面的人，对他说："过去老聃去西方的时候，曾回头告诉我说：一切有生命的气息，一切有形状的物体，都是虚幻的。万物的开始，阴阳的变化，叫作生，叫作死。穷究自然之理，顺应这种变化，根据具体情形推移变易，叫作化，叫作幻。创造万物的自然，它的技巧微妙，它的功德深远，本来就难以全部知晓，难以终结。根据具体情形变易的，它的技巧明显，它的功德低浅，所以随时发生，又随时消灭。懂得了幻化与生死没有什么差异，才可以学习幻化之术。我和你的存在也不过是一场虚空，为什么一定要学呢？”

老成子回家后，将尹文先生的话深深思索了三个月，于是就能随心所欲地掌握生死的规律，又能翻转四季；可以在冬天打雷，可以在夏天造雪；使飞鸟在地上走，走兽在天上飞。但老成子终生没有把这些幻术写成书，因而后世也没有传下来。

列子说：“善于幻化的人，他的道术总是在隐秘处发挥着作用，他的功绩与一般人相同。五帝的德行，三王的功绩，不一定都是通过智慧和勇力得来，也许是凭借幻化来完成的，谁又能推测到呢？”

【原文】

觉有八征[①]，梦有六候[②]。奚谓八征？一曰故，二曰为，三曰得，四曰丧，五曰哀，六曰乐，七曰生，八曰死。此者八征，形所接也。奚谓六候？一曰正梦，二曰蘁梦，三曰思梦，四曰寤梦，五曰喜梦，六曰惧梦。此六者，神所交也。

不识感变之所起者，事至则惑其所由然；识感变之所起者，事至则知其所由然。知其所由然，则无所怛[③]。一体之盈虚消息，皆通于天地，应于物类。故阴气壮，则梦涉大水而恐惧；阳气壮，则梦涉大火而燔爇[④]；阴阳俱壮，则梦生杀。甚饱则梦与，甚饥则梦取。是以以浮虚为疾者，则梦扬；以沉实为疾者，则梦溺。藉带而寝，则梦蛇，飞鸟衔发，则梦飞。将阴梦火，将疾梦食。饮酒者忧，歌舞者哭。

子列子曰：“神遇为梦，形接为事。故昼想夜梦，神形所遇。故神凝者想梦自消。信觉不语，信梦不达，物化之往来者也。古之真人，其觉自忘，其寝不梦，几虚语哉？”

【注释】

①征：征兆。②候：占验。③怛（dá）：恐惧，惊疑。④燔（fán）：烧。爇（ruò）：烧灼。

【译文】

醒时有八种征兆，睡梦中有六种占验。什么是八种征兆？一是往事，二是作为，三是收获，四是丧失，五是悲哀，六是喜悦，七是新生，八是死亡。这八种征兆，都是形体与外物接触所产生的事物。什么是六种占验？一是平常自然而然的梦，二是因惊吓而做的梦，三是因心有思虑而做梦，四是醒来后依旧出神而做梦，五是因高兴快乐而做梦，六是因心生恐惧而做梦。这六种原因，都是精神与外物接触而产生的事物。

不懂得感应变化为何而起的人，事情发生后便会对它产生的原因一无所知；懂得感应变化为何而起的人，事情发生后便会对它产生的原因一清二楚。一旦清楚了事情的原委便无所畏惧。一个人体魄的充实、空虚、增强、亏损都与天地相通，与外物相应。如果阴气过于旺盛，就会梦见过大河而心生恐惧；如果阳气旺盛，就会梦见过大火而被烧；如果阴阳二气都旺盛，就会梦见生死残杀。吃得太饱会梦见给予付出，饥饿时会梦见夺取别人的财物。所以，脉象浮虚为病症的人，就会梦见身体飞扬，脉象沉实为病症的人就会梦见自己溺水。压着衣带睡觉，会梦见蛇；飞鸟衔住头发，会梦见飞升。气血阴寒会梦见烤火，身体将病会梦见吃饭。喝酒的人将会在梦中忧愁，唱歌跳舞的人将会在梦中哭泣。

列子说："精神与外物相遇就会产生梦，形体与外物接触就会产生事情。因此白天所思，夜间所梦，都是精神以及形体与外物接触后的缘故。精神凝结的人，白天不会思虑，夜间也不会做梦。真正的清醒不用语言，真正的梦幻难以用常情通达，只是随着万物自然的变化而往来。古代的真人，醒着的时候连自己也忘记了，睡眠的时候不会做梦，这难道是虚假的话吗？"

【原文】

西极之南隅有国焉，不知境界之所接，名古莽之国。阴阳之气所不交，故寒暑亡辨[①]；日月之光所不照，故昼夜亡辨。其民不食不衣而多眠。五旬一觉，以梦中所为者实，觉之所见者妄。

四海之齐[②]，谓中央之国，跨河南北，越岱[③]东西，万有余里。其阴阳之审度，故一寒一暑；昏明之分[④]察，故一昼一夜。其民有智有愚。万物滋殖，才艺多方。有君臣相临，礼法相持。其所云为不可称计。一觉一寐，以为觉之所为者实，梦之所见者妄。

东极之北隅有国，曰阜落之国。其土气常燠[⑤]，日月余光之照。其土不生嘉苗。其民食草根木实，不知火食，性刚悍，强弱相藉[⑥]，贵胜而不尚义；多驰步，少休息，常觉而不眠。

【注释】

①亡辨：没有分别。②齐：通“脐”，中央。③岱：即泰山。④分（fèn）：职分。⑤燠（yù）：暖、热。⑥藉：欺凌。

【译文】

西方极远之地南部边角有个国家，不知道与哪些国家接壤，这个国家名叫古莽。这个国家的阴阳二气不相交接，因此冬天与夏天没有分别；太阳与月亮的光芒照耀不到，因此白天与黑夜没有分别。这个国家的百姓不吃饭、不穿衣，睡眠很多。他们五十天一醒，将梦中的所作所为当作真实，将醒来时的所见所闻当作虚妄。

四海的正中有个中央之国，地跨黄河南北，横越泰山东西，方圆过万里。这里的阴阳二气比例分明，因此一年中有寒冷有炎热；昏暗与明亮的职分明确，因而一天中有白天有黑夜。这里的百姓有的聪明，有的愚昧。万物滋养繁殖，百姓的才艺多种多样。有君主与臣子互相扶助，有礼仪与法律维持统治。他们的言论与作为多得不可列举统计。他们每天一睡一醒，认为醒时的所作所为为真实，以梦中的所见所闻为虚妄。

东方极远之地北部边角有个国家，这个国家的名字叫阜落。这个国家的土地与气候非常干旱燥热，白天黑夜都有太阳月亮的光芒照耀。因此田地里长不出好庄稼。这个国家的百姓只能吃草根与果实，并且不知道用火烧熟食物后再吃，性情刚强凶悍，强大的欺凌弱小的，崇尚胜利而不崇尚礼仪；经常奔忙走动，休息的时间很少，经常醒着而不睡眠。

【原文】

周之尹氏大治产，其下趣[1]役者侵晨昏而弗息。有老役夫，筋力竭矣，而使之弥勤。昼则呻呼而即事，夜则昏惫而熟寐。精神荒散，昔昔[2]梦为国君。居人民之上，总一国之事。游燕[3]宫观，恣意所欲，其乐无比。觉则复役。人有慰喻其懃者，役夫曰："人生百年，昼夜各分。吾昼为仆虏，苦则苦矣，夜为人君，其乐无比。何所怨哉？"

尹氏心营世事，虑钟[4]家业，心形俱疲，夜亦昏惫而寐，昔昔梦为人仆，趋走作役，无不为也，数骂杖挞，无不至也。眠中啽呓[5]呻呼，彻旦息焉。尹氏病之，以访其友。友曰："若位足荣身，资财有余，胜人远矣。夜梦为仆，苦逸之复，数之常也。若欲觉梦兼之，岂可得邪？"尹氏闻其友言，宽其役夫之程，减己思虑之事，疾并少间。

【注释】

①趣：奔走。②昔昔：夜夜。③燕：宴饮。④钟：专注。⑤啽呓（ān yì）：说梦话。

【译文】

周朝有个姓尹的人大力经营产业，在他手下奔走服役的人从清晨忙到黄昏都不得休息。有个老役夫的筋力已经消耗殆尽了，但仍然不停地使唤他。老仆役白天呻吟哀呼着去干活，到了晚上就昏沉疲惫地睡去。由于精神恍惚散漫，夜夜都梦见自己当了国君，地位在百姓之上，总揽一国大事，在宫殿花园中游玩饮宴，为所欲为，快乐无比。可是醒来后又继续做仆役。有人劝慰他过于勤苦，老役夫说："人一生活一百年，白天与黑夜各有一半。我白天做主人家的奴仆，苦是苦了点，但晚上却可以做国君，快乐无比。我还有什么可怨恨的呢？"

姓尹的人一心经营世间俗事，思虑都专注在家业上，心灵与身体都很疲劳，到了晚上也昏沉疲惫而睡，夜夜梦见自己当了别人家的奴仆，奔走服役，什么活都干，挨骂挨打，什么罪都受。睡梦中呻吟哀呼，一直到天亮才停止。姓尹的人以此为苦，便去询问他的朋友。朋友说："你的地位足以使你荣耀，你的财产多到这辈子也用不完，已经胜于常人了。晚上梦见做了奴仆，这一苦一乐的循环往复，是自然规律。你想在醒的时候和在梦中的时候都快乐，这怎么可能得到呢？"姓尹的人听了朋友的话，便放宽了仆役干活的限度，减轻了自己苦心思虑的俗事，痛苦和忧虑因此得到了缓解。

【原文】

郑人有薪[①]于野者，遇骇鹿，御[②]而击之，毙之。恐人见之也，遽而藏诸隍[③]中，覆之以蕉[④]，不胜其喜。俄而遗其所藏之处，遂以为梦焉，顺涂而咏其事。傍人有闻者，用其言而取之。既归，告其室人曰："向薪者梦得鹿而不知其处，吾今得之，彼直真梦矣。"室人曰："若将是梦见薪者之得鹿邪？讵[⑤]有薪者邪？今真得鹿，是若之梦真邪？"夫曰："吾据得鹿，何用知彼梦我梦邪？"薪者之归，不厌[⑥]失鹿。其夜真梦藏之之处，又梦得之之主。爽旦[⑦]，案所梦而寻得之。遂讼而争之，归之士师[⑧]。

士师曰："若初真得鹿，妄谓之梦；真梦得鹿，妄谓之实。彼真取若鹿，而与若争鹿。室人又谓梦仞人鹿，无人得鹿。今据有此鹿，请二分之。"

以闻郑君。郑君曰："嘻！士师将复梦分人鹿乎？"访之国相。国相曰："梦与不梦，臣所不能辨也。欲辨觉梦，唯黄帝、孔丘。今亡黄帝、孔丘，孰辨之哉？且恂士师之言可也。"

【注释】

①薪：砍柴。②御（yà）：迎。③隍：干涸的水沟。④蕉：通"樵"，柴草。⑤讵（jù）：难道。⑥厌：安心，甘心。⑦爽旦：天亮。⑧士师：古代执掌禁令刑狱的官名，相当于今天的法官。

【译文】

郑国有个樵夫在野外砍柴，碰到一只受了惊的鹿，便迎上去把它打死了。他怕别人看见，便急急忙忙把鹿藏在干涸的水沟里，并用砍下的柴草覆盖好，高兴得不得了。过了没多久，他忘了藏鹿的地方，便以为自己只是做了个梦，一路上念叨这件事。路旁有个人听说此事，便按照他的话把鹿拿走了。回家后，他告诉妻子说：“刚才有个樵夫梦见得到了鹿，却不知道在什么地方，我现在得到了，他做的梦简直和真的一样。”妻子说：“会不会是你梦见樵夫得到了鹿呢？难道真有那个樵夫吗？现在你真的得到了鹿，是你做了个真实的梦吧？”丈夫说：“我真的得到了鹿，哪里用得着再去追究是他做梦还是我做梦呢？”樵夫回到家，不甘心就这么把鹿弄丢了。当天夜里真的梦到了藏鹿的地方，并且梦见了拿走鹿的人。于是天一亮，他就按照梦中的线索找到了拿走鹿的人。两人为争这只鹿而争执起来，告到了法官那里。

法官对樵夫说：“你最初真的得到了鹿，却胡说是梦；明明是在梦中得到了鹿，又胡说是真实的。他是真的取走了你的鹿，你要和他争这只鹿。他妻子又说他是在梦中拿走了鹿，也就是说并没有什么人得到过这只鹿。现在只有这只鹿，请你们平分了吧！”

这事被郑国的国君知道了。国君说：“唉！这个法官也是在梦中让他们分鹿的吧？”为此他专门询问了国相。国相说：“是梦不是梦，这是我无法分辨的事情。如果要想分辨是醒着还是在做梦，只有黄帝和孔丘才行。现在黄帝与孔丘都不在了，谁还能分辨呢？姑且听信法官的裁决算了。”

【原文】

宋阳里华子中年病忘，朝取而夕忘，夕与而朝忘；在途则忘行，在室则忘坐；今不识先，后不识今。阖室毒[①]之。谒史而卜之，弗占[②]；谒巫而祷之，弗禁；谒医而攻之，弗已。

鲁有儒生自媒能治之，华子之妻子以居产之半请其方。儒生曰：“此固非卦兆之所占，非祈请之所祷，非药石之所攻。吾试化其心，变其虑，庶几其瘳乎！”于是试露之，而求衣；饥之，而求食；幽之，而求明。儒生欣然告其子曰：“疾可已也。然吾之方密，传世不以告人。试屏左右，独与居室七日。”从之。莫知其所施为也，而积年之疾一朝都除。

华子既悟，乃大怒，黜妻罚子，操戈逐儒生。宋人执而问其以。华子曰：“曩吾忘也，荡荡然不觉天地之有无。今顿识既往，数十年来存亡、得失、哀乐、好恶，扰扰万绪起矣。吾恐将来之存亡、得失、哀乐、好恶之乱吾心如此也，须臾之忘，可复得乎？”

子贡闻而怪之，以告孔子。孔子曰：“此非汝所及乎！”顾谓颜回纪③之。

【注释】

①毒：苦。②占：验。③纪：通“记”，记载。

【译文】

宋国有个叫阳里华子的人中年时得了健忘症，早晨拿的东西晚上就忘了，晚上放下的东西早晨就忘了；在路上忘记走路，在家里忘记坐下；现在记不得过去，以后记不得现在。全家都因为他而苦恼。请史官来占卜，不能灵验；请巫师来祈祷，没有效果；请医生来诊治，也没有起色。

鲁国有个儒生自我推荐说能治好阳里华子的病，华子的妻子和儿女便以家产的一半作为报酬请他开药方。儒生说：“这种病本来就不是算卦龟卜所能占验，不是祈祷请求所能生效的，也不是药物针灸所能诊治的。我试着感化他的心灵，改变他的思想，也许能够把他的病治好。”于是试着让阳里华子裸露，他一冷就会去穿衣服；试着不给他吃饭，他一饿就会去寻找食物；试着把他关在黑暗处，他一感到昏暗就会去寻找光明。儒生高兴地告诉阳里华子的儿子说：“病可以治好了。但我的方法是保密的，不能告诉旁人。请屏退左右的侍从，让我单独和他在室内待七天。”阳里华子的儿子按他的要求办了。没有人知道这个儒生在屋里干了些什么，但是阳里华子多年积累的病全都除去了。

阳里华子清醒后，大发雷霆，斥骂妻子，惩罚儿子，并拿起戈驱逐儒生。宋国人把他捉住并问他为什么这样做。阳里华子说：“过去我健忘，脑子里空空荡荡不知道天地是有还是没有。现在突然明白了过去的一切，数十年来的生存与死亡、获得与失去、哀苦与欢乐、喜欢与憎恶，千头万绪纷纷扰扰全部出现了。我害怕将来的生存与死亡、获得与失去、哀苦与欢乐、喜欢与憎恶还像现在这样扰乱我的心，那时想要再求片刻的淡忘，还能得到吗？”

子贡听说后感到奇怪，把这事禀告给了孔子。孔子说：“这不是你所能懂得的啊！”便回头叫颜回把这件事记录下来。

【原文】

秦人逄氏有子，少而惠①，及壮而有迷罔之疾。闻歌以为哭，视白以为黑，飨香以为朽②，尝甘以为苦，行非以为是。意之所之，天地、四方、水火、寒暑，无不倒错者焉。

杨氏告其父曰：“鲁之君子多术艺，将能已乎！汝奚不访焉？”

其父之鲁，过陈，遇老聃，因告其子之证③。

老聃曰：“汝庸知汝子之迷乎？今天下之人皆惑于是非，昏于利害。同疾者多，固莫有觉者。且一身之迷不足倾一家，一家之迷不足倾一乡，一乡之迷不足倾一国，一国之迷不足倾天下。天下尽迷，孰倾之哉？向使天下之人其心尽如汝子，汝则反迷矣，哀乐、声色、臭味④、是非，孰能正之？且吾之言未必非迷，而况鲁之君子迷之邮⑤者，焉能解人之迷哉？荣⑥汝之粮，不若遄⑦归也。”

【注释】

①惠：聪慧。②朽：臭味。③证：同“症”，病症。④臭（xiù）味：气味。⑤邮：尤其。⑥荣：负担。⑦遄（chuán）：迅速。

【译文】

秦国的逄氏有个儿子，小时候很聪慧，长大以后却得了精神迷乱的疾病。听到唱歌以为是哭泣，看到白色以为是黑色，闻到香气以为是臭气，尝到甜味以为是苦味，做错了事却以为是正确的。意识所涉及的地方，天地、四方、水火、寒暑，没有不错乱的。

有个姓杨的人告诉这个孩子的父亲说："鲁国的君子多才多艺，或许可以治好你儿子的病！你为什么不去拜访呢？"

孩子的父亲于是去了鲁国，路过陈国时，碰到了老子，于是将自己儿子的病症告诉给了他。

老子说："你怎么知道你的儿子精神迷乱呢？现在天下的人都被是非所迷惑，被利害关系弄得糊里糊涂。害这种病的人很多，本来就没有清醒的人。而且一个人的迷乱并不会使一家倾覆，一家人的迷乱并不会使一乡倾覆，一乡人的迷乱并不会使一国倾覆，一国人的迷乱并不会使整个天下倾覆。天下人都精神迷乱了，还有什么可以倾覆的呢？如果天下人的心都像你儿子的话，那么你就反而是精神迷乱的人了，那悲哀快乐、声音美色、气息味道、正确错误，又有谁能给出正确的判断标准呢？我这些话未必不是精神迷乱的表现，更何况鲁国的君子们精神尤其迷乱，又怎么能解开别人的错乱迷惑呢？不如担着你的粮食，快点回家去吧！"

【原文】

燕人生于燕，长于楚，及老而还本国。

过晋国，同行者诳之，指城曰："此燕国之城。"其人愀然①变容。指社曰："此若里之社②。"乃喟然而叹。指舍曰："此若先人之庐。"乃涓然③而泣。指垄曰："此若先人之冢。"其人哭不自禁。同行者哑然④大笑，曰："予昔绐⑤若，此晋国耳。"其人大惭。

及至燕，真见燕国之城社，真见先人之庐冢，悲心更微。

【注释】

①愀（qiǎo）然：凄惨貌。②社：祭祀社神的地方，俗称土地庙。③涓然：慢慢流泪的样子。④哑然：笑声。⑤绐（dài）：哄骗。

【译文】

燕国有个人出生在燕国，在楚国长大，到老年才回本国去。

路过晋国时，同行的人欺骗他，指着城墙说："这是燕国的城墙。"那人听了这话凄怆地改变了面容。同行的人指着土地庙说："这是你家乡的土地庙。"那人听了这话感慨地长叹一声。同行的人指着房屋说："这是你先人的房子。"那人慢慢哭了起来。同行的人指着坟墓说："这是你先人的墓地。"那人禁不住大哭起来。同行的人忍不住放声大笑，说："我刚才是在哄骗你，这里是晋国啊！"那人大为惭愧。

等到了燕国，真的见到了燕国的城墙和土地庙，真的见到先人的房子和墓地时，悲伤的心情反而减少了很多。

仲尼第四

【题解】

《仲尼》，又名《极智》。孔子本为儒家先贤，修身齐家治国平天下亦为儒家提倡的人生道路。然而面对礼崩乐坏、君臣失序、道德沦丧的现实，儒家的主张往往失去经世致用的作用，而成为花瓶式的摆设。

此篇作者认为，在这种情形下，唯有道家思想，方能为迷茫中的贤臣士子指明安宁静虚的方向。作者便有意借用孔子的形象和言论来阐明自己的观点，亦即“无乐无知，是真乐真知”。无所偏执，无所挂碍，无所用心，因此无为而惠及天下。

【原文】

仲尼闲居，子贡入侍，而有忧色。子贡不敢问，出告颜回。

颜回援琴而歌。孔子闻之，果召回入，问曰：“若奚独乐？”

回曰：“夫子奚独忧？”

孔子曰：“先言尔志。”

曰：“吾昔闻之夫子曰：‘乐天知命故不忧。’回所以乐也。”

孔子愀然①有间②曰：“有是言哉？汝之意失矣。此吾昔日之言尔，请以今言为正也。汝徒知乐天知命之无忧，未知乐天知命有忧之大也。今告若其实：修一身，任穷达，知去来之非我，亡变乱于心虑，尔之所谓乐天知命之无忧也。曩吾修《诗》《书》，正礼乐，将以治天下，遗来世；非但修一身、治鲁国而已。而鲁之君臣日失其序，仁义益衰，情性益薄。此道不行一国与当年③，其如天下与来世矣？吾始知《诗》《书》礼乐无救于治乱，而未知所以革之之方。此乐天知命者之所忧。虽然，吾得之矣。夫乐而知者，非古人之所谓乐知也。无乐无知，是真乐真知；故无所不乐，无所不知，无所不忧，无所不为。《诗》《书》礼乐，何弃之有？革之何为？”

颜回北面拜手④，曰：“回亦得之矣。”

出告子贡。子贡茫然自失，归家淫思⑤七日，不寝不食，以至骨立⑥。颜回重往喻之，乃反丘门，弦歌诵书，终身不辍。

【注释】

①愀（qiǎo）然：脸色改变。②有间（jiàn）：一会儿。③当年：毕生。④北面拜手：古代学生敬师之礼。⑤淫思：深思。⑥骨立：形容人极为消瘦。

【译文】

孔子在家独自闲坐，子贡进来侍候，见孔子面带愁容。子贡不敢询问，出来告诉颜回。

颜回便一面弹琴一面唱歌。孔子听到了琴声，果然把颜回叫了进去，问道：“你为什么独自快乐？”

颜回说：“老师为什么独自忧愁？”

孔子说：“先说说你的想法。”

颜回说：“我以前听老师说：‘乐于顺应自然，懂得命运规律，就没有忧愁。’这就是我快乐的原因。”

孔子的脸色这时有所改变，过了一会儿说：“有过这样的话吗？你把意思领会错了。这是我过去的话，请以今天的话为准。你只知道乐于顺应自然、懂得命运而没有忧愁的一面，却不知道乐于顺应自然、懂得命运同样包含着很多忧愁。现在我告诉你关于这个问题的正确看法：修养自身，听任命运的穷困与富贵，懂得人生的变迁都不由我自己，因而心思不会被外界改变和扰乱，这就是你所说的乐于顺应自然、懂得命运而没有忧愁的一面。以前我整理《诗经》《尚书》，端正礼乐制度，想要以此来治理天下，流传后世；并不仅仅为了修养自身和治理鲁国而已。而鲁国的国君和大臣一天天丧失应有的尊卑等级秩序，仁义道德也一天天衰败，人情善性也一天天淡薄。我的这个学说在一个国家，在我的今生还行不通，又如何在整个天下与后世推行呢？我这才知道《诗经》《尚书》、礼制乐律对于治理乱世没有什么作用，可我又不知道如何改变这一局面的良方。这就是乐于顺应自然、懂得命运的人所忧愁的事情。虽然如此，但我还是明白了一些。我们所说的乐于顺应自然、懂得命运，并不是古人所说的乐于顺应自然、懂得命运。没有乐，没有知，才是真正的乐，真正的知；因此没有不快乐的事，没有不知道的事，没有不忧愁的事，没有不能做的事。《诗经》《尚书》、礼制乐律为什么要去丢弃呢？又有什么理由要去改变呢？”

颜回面向北拱手叩拜说：“我也明白了。”

他出来将孔子方才的那番话告诉了子贡。子贡感到不知所措，于是回家反复深思了七天，不睡不吃，以至骨瘦如柴。颜回又去开导他，然后才回到孔子门下，弹琴唱歌，诵读诗书，一生也没有停止过。

【原文】

陈大夫聘①鲁，私见叔孙氏②。

叔孙氏曰：“吾国有圣人。”

曰：“非孔丘邪？”

曰：“是也。”

“何以知其圣乎？”

叔孙氏曰：“吾常闻之颜回，曰：‘孔丘能废心而用形。’”

陈大夫曰：“吾国亦有圣人，子弗知乎？”

曰：“圣人孰谓？”

曰：“老聃之弟子有亢仓子③者，得聃之道，能以耳视而目听。”

鲁侯闻之大惊，使上卿厚礼而致之。亢仓子应聘而至。鲁侯卑辞请问之。

亢仓子曰："传之者妄。我能视听不用耳目，不能易耳目之用。"

鲁侯曰："此增异矣。其道奈何？寡人终愿闻之。"

亢仓子曰："我体合于心，心合于气，气合于神，神合于无。其有介然④之有，唯然⑤之音，虽远在八荒之外，近在眉睫之内，来干我者，我必知之。乃不知是我七孔四支之所觉，心腹六藏之所知，其自知而已矣。"

鲁侯大悦。他日以告仲尼，仲尼笑而不答。

【注释】

①聘：古代国与国之间派使者访问。②叔孙氏：鲁国贵族。③亢仓子：人名，曾向老子问道。④介然：微小的样子。⑤唯然：声音微弱。

【译文】

陈国大夫访问鲁国，以私人身份会见了鲁国贵族叔孙氏。

叔孙氏说："我国有一位圣人。"

陈国大夫问："莫不是孔丘吗？"

叔孙氏说："是的。"

陈国大夫问："怎么知道他就是圣人？"

叔孙氏说："我经常听颜回说：'孔丘能放弃心灵而只用形体。'"

陈国大夫说："我国也有一位圣人，您不知道吗？"

叔孙氏问："贵国的这位圣人是谁？"

陈国大夫说："老子的弟子中有个叫亢仓子的人，学到了老子的道术，能用耳朵看东西，用眼睛听声音。"

鲁侯听到这件事大为惊异，派高官带着丰厚的礼物去请亢仓子。亢仓子应邀来到鲁国。鲁侯以谦卑的言辞向他请教。

亢仓子说："传话的人在胡说。我可以不用眼睛看，可以不用耳朵听，但并不能改变耳朵和眼睛原本的作用。"

鲁侯说："这就更奇怪了。那么你的道术是什么样的呢？我很想听听。"

亢仓子说："我的形体与心灵相合，心灵与元气相合，元气与精神相合，精神与虚空相合。倘若有极微小的东西，极弱小的声音，即使远在八方荒远之地以外，或近在眉睫以内，来干扰我的，我一定都能知道。我也不知道是我的七窍四肢感觉到的，还是心腹六脏感觉到的，自然而然就知道罢了。"

鲁侯十分高兴。过了些天把这事告诉了孔子，孔子笑了笑，没有回答。

【原文】

商太宰[1]见孔子，曰："丘圣者欤[2]？"

孔子曰："圣则丘何敢，然则丘博学多识者也。"

商太宰曰："三王圣者欤？"

孔子曰："三王善任智勇者，圣则丘弗知。"

曰："五帝圣者欤？"

孔子曰："五帝善任仁义者，圣则丘弗知。"

曰："三皇圣者欤？"

孔子曰："三皇善任因时者，圣则丘弗知。"

商太宰大骇，曰："然则孰者为圣？"

孔子动容有间，曰："西方之人有圣者焉，不治而不乱，不言而自信，不化而自行，荡荡乎民无能名[3]焉。丘疑其为圣，弗知真为圣欤？真不圣欤？"

商太宰嘿然[4]心计曰："孔丘欺我哉！"

【注释】

①商：即宋国。宋人为商人后裔。太宰：古代官名，商代开始设置。②欤：此处表疑问语气。③名：此处用作动词，称誉的意思。④嘿（mò）然：沉默的样子。

【译文】

宋国的太宰去见孔子，问："你是圣人吗？"

孔子说："我怎么敢当圣人，我不过是学问广博知识丰富的人。"

宋国太宰问："三王是圣人吗？"

孔子说："三王是善于任用智慧勇力的人，然而是不是圣人我就不知道了。"

宋国太宰又问："五帝是圣人吗？"

孔子说："五帝是善于任用推行仁义的人，然而是不是圣人我就不知道了。"

宋国太宰又问："三皇是圣人吗？"

孔子说："三皇是善于任用顺应时势的人，然而是不是圣人我就不知道了。"

宋国太宰听完孔子的回答，大为惊骇，说："那么谁是圣人呢？"

孔子的脸色一时有些变化，过了一会儿说："西方有一位圣人，不治国政而国家不乱，不说话而使人自然信服，不教化而教化自然实行，他的伟大，百姓不知怎么称赞他才好。我猜度着他就是圣人，不知道真的是圣人呢？真的不是圣人呢？"

宋国太宰默默地在心中思忖道："孔子在欺哄我啊！"

【原文】

子夏问孔子曰："颜回之为人奚若[①]？"

子曰："回之仁贤于丘也。"

曰："子贡之为人奚若？"

子曰："赐之辩贤于丘也。"

曰："子路之为人奚若？"

子曰："由之勇贤于丘也。"

曰："子张之为人奚若？"

子曰："师之庄贤于丘也。"

子夏避席[②]而问曰："然则四子者何为事夫子？"

曰："居！吾语汝。夫回能仁而不能反[③]，赐能辩而不能讷[④]，由能勇而不能怯，师能庄而不能同。兼四子之有以易吾，吾弗许也。此其所以事吾而不贰也。"

【注释】

①奚若：怎么样。②避席：古人席地而坐，离座起立，表示敬意。③反：变。④讷：说话迟钝。

【译文】

子夏问孔子说："颜回的为人怎么样？"

孔子说："颜回的仁慈之心比我强。"

子夏又问："子贡的为人怎么样？"

孔子说："端木赐的辩说之才比我强。"

子夏又问："子路的为人怎么样？"

孔子说："仲由的勇敢程度比我强。"

子夏又问："子张的为人怎么样？"

孔子说："颛孙师的庄重严肃比我强。"

子夏离开座位，站着问道："既然他们四个人都比先生强，为什么还要来做您的学生呢？"

孔子说："坐下！我来告诉你。颜回能仁慈却不能变通，端木赐能辩说却不能钝敛，仲由能勇敢却不能退让，颛孙师能庄重却不能合群。把四人的长处合起来交换我的长处，我也是不能答应的。这就是他们拜我为师而不三心二意的原因。"

【原文】

子列子既师壶丘子林，友伯昏瞀人，乃居南郭。从之处者，日数而不及。虽然，子列子亦微[①]焉。朝朝相与辩，无不闻。而与南郭子连墙二十年，不相谒请。相遇于道，目若不相见者。门之徒役[②]以为子列子与南郭子有敌不疑。

有自楚来者，问子列子曰："先生与南郭子奚敌？"

子列子曰："南郭子貌充心虚，耳无闻，目无见，口无言，心无知，形无惕[③]。往将奚为？虽然，试与汝偕往。"

阅弟子四十人同行。见南郭子，果若欺魄焉，而不可与接。顾视子列子，形神不相偶，而不可与群。南郭子俄而指子列子之弟子末行者与言，衎衎[④]然若专直而在雄者。子列子之徒骇

列子

之。反舍，咸有疑色。

子列子曰：“得意者无言，进知[5]者亦无言。用无言为言亦言，无知为知亦知。无言与不言，无知与不知，亦言亦知。亦无所不言，亦无所不知；亦无所言，亦无所知。如斯而已。汝奚妄骇哉？”

【注释】

①微：道术精微。②徒役：门徒弟子。③惕（tì）：变动。④衎衎（kàn kàn）：刚直。⑤进知：什么都知道。

【译文】

列子师从壶丘子林，结交伯昏瞀人，然后居住在城南边上。追随列子并和他相处的人每天数也数不过来。即使这样，列子的道术也堪称精微奇妙。每天与那些人相互辩论，远近闻名。而与南郭子隔墙为邻二十年，却从不互相拜访来往；在路上相遇时，也好像没有看见对方似的。门徒弟子因此认为列子与南郭子有仇。

有一个从楚国来的人，问列子说：“先生与南郭子为什么互相敌视？”

列子说：“南郭子形貌充实而心灵空虚，耳无所闻，目无所见，口无所言，心无所知，形体无所变动。去拜访他又能干什么呢？即使这样，我姑且和你一起去一趟看看吧。”

列子选了四十个弟子同行。见到南郭子，果然像泥塑土雕，无法与他进行交流接触。他回头看看列子，精神与形体已相互脱离，根本不可能合群共处。过了一会儿，南郭子指着列子弟子中最末尾的一人，与他攀谈，从容刚直仿佛专为求胜一般。列子的门徒们大为惊骇。回到列子家，脸上都挂着疑惧的神色。

列子说：“领会真意的人无须言说，什么都知道的人也无须言说。以无言为言也是一种言，以无知为知也是一种知。而以无言为不言，以无知为不知，也是一种言说和有知。所以也没有什么不能说的，也没有什么不知道的；也没有什么值得说的，也没有什么要知道的。不过如此而已。你们为什么还要无端惊惧呢？”

【原文】

子列子学也，三年之后，心不敢念是非，口不敢言利害，始得老商一眄而已。五年之后，心更念是非，口更言利害，老商始一解颜而笑。七年之后，从心之所念，更无是非；从口之所言，更无利害；夫子始一引吾并席而坐。九年之后，横心之所念，横口之所言，亦不知我之是非利害欤，亦不知彼之是非利害欤，外内进矣。而后眼如耳，耳如鼻，鼻如口，口①无不同。心凝形释，骨肉都融；不觉形之所倚，足之所履，心之所念，言之所藏。如斯而已，则理无所隐矣。

【注释】

①口：衍文，当删。

【译文】

列子一心修习道术，三年之后，心中不敢计较是与非，嘴上不敢谈论利与害，这才得到老商斜着眼睛看了一下。五年之后，心中更加不敢计较是与非，嘴上更加不敢谈论利与害，老商才对他一笑。七年之后，不管心灵如何去思虑，更加没有是与非；不管嘴上怎么去谈论，更加没有利与害，老商这才叫列子和他坐在一块席子上。九年之后，任凭心灵去思虑，任凭嘴巴去谈论，也不知道自己的是非利害，也不知道别人的是非利害，身外心内都与自然之道相融合。从此以后，列子眼睛的作用就像耳朵一样，耳朵的作用就像鼻子一样，鼻子的作用就像嘴一样，没有什么区别了。心灵凝聚，形体消失，骨肉全都交融；感觉不到身体倚靠着什么，两脚踩着什么，心灵想着什么，言论藏着什么。如此而已，一切道理也便没有什么可隐藏的了。

【原文】

初，子列子好游。

壶丘子曰：“御寇好游，游何所好？”

列子曰：“游之乐所玩无故。人之游也，观其所见；我之游也，观其所变。游乎游乎！未有能辨其游者。”

壶丘子曰：“御寇之游固与人同欤，而曰固与人异欤？凡所见，亦恒见其变。玩彼物之无故，不知我亦无故。务外游，不知务内观。外游者，求备于物；内观者，取足于身。取足于身，游之至也；求备于物，游之不至也。”

于是列子终身不出，自以为不知游。

壶丘子曰：“游其至乎！至游者，不知所适；至观者，不知所眡①。物物皆游矣，物物皆观矣，是我之所谓游，是我之所谓观也。故曰：游其至矣乎！游其至矣乎！”

【注释】

①眡（shì）：古“视”字。

【译文】

以前，列子喜欢外出游览。

壶丘子说：“御寇你喜欢游览，那游览有什么可喜欢的呢？”

列子说：“游览的趣味是在于所观赏的东西没有陈旧不变的。别人游览，观赏的是所见到的东西；而我的游览，观赏的是事物的变化。游览啊游览啊！没有人能分辨这两种不同的游览方法。”

壶丘子说：“御寇，你的游览本来就和别人相同嘛，为什么还要说和别人不同呢？凡是观赏东西，必然能看到这些东西的变化。你只知道观赏物体的外部变化，却不知道自身也在不停地变化更新。只知道观赏外面的世界，却不知道观赏自己的内心。观赏外物的，就会希望外物完备无缺；观赏自己内心的，则能从自己身上获取长处。从自身获得长处，这是游览的最高境界；向外物要求完备无缺，是并不高明的游览。”

从此，列子终身不再外出，认为自己不懂得游览。

壶丘子说：“这是最高境界的游览啊！最高境界的游览，就是不知道到哪里去；最高境界的观赏，就是不知道看到了什么。任何地方都游览了，任何事物都欣赏了，这才是我所说的游览，是我所说的观赏。所以我说：这是最高境界的游览啊！这是最高境界的游览啊！"

【原文】

龙叔[①]谓文挚[②]曰："子之术微矣。吾有疾，子能已乎？"

文挚曰："唯命所听。然先言子所病之证。"

龙叔曰："吾乡誉不以为荣，国毁不以为辱；得而不喜，失而弗忧；视生如死；视富如贫；视人如豕；视吾如人。处吾之家，如逆旅之舍；观吾之乡，如戎蛮之国。凡此众疾，爵赏不能劝，刑罚不能威，盛衰、利害不能易，哀乐不能移。固不可事国君，交亲友，御[③]妻子，制仆隶。此奚疾哉？奚方能已之乎？"

文挚乃命龙叔背明而立，文挚自后向明而望之，既而曰："嘻！吾见子之心矣，方寸之地[④]虚矣，几圣人也！子心六孔流通，一孔不达。今以圣智为疾者，或由此乎！非吾浅术所能已也。"

【注释】

①龙叔：人名，春秋时期宋国人。②文挚：相传为宋国良医。③御：主宰。④方寸之地：这里指人心。

【译文】

龙叔对文挚说："您的医术精湛高明。我现在患病，您能治好吗？"

文挚说："一切听从您的命令。但先请说说您的病症。"

龙叔说："我受到乡人的赞誉不觉得光荣，受到全国人的毁谤不觉得耻辱；得到了并不觉得喜欢，失去了并不觉得忧愁；看待活着如同死亡；看待富贵如同贫穷；看待别人如同猪，看待自己如同别人。住在自己家中，像是住在旅馆；看待我的家乡，像是西戎南蛮之国。所有这些病症，爵位赏赐不能劝慰，严刑惩罚不能威胁，盛衰利害不能改变，悲哀快乐不能动摇。我这样自然就不能辅佐国君，交结亲戚朋友，主宰妻子儿女，控制仆人奴隶，这是什么病呢？什么药方能治好它呢？"

文挚于是叫龙叔背着光线站着，文挚从后面向着光亮处看他。过了一会儿说："哎呀！我看到你的心了，你的心已经空虚了，几乎是得道的圣人了！你的心窍中，只有六窍流通，还有一个窍没有通达。现在您把圣人的心智当作疾病，可能就是因为这个原因吧！这不是我浅陋的医术所能治好的。"

【原文】

无所由而常生者，道也。由生而生，故虽终而不亡，常也。由生而亡，不幸也。有所由而常死者，亦道也。由死而死，故虽未终而自亡者，亦常也。由死而生，幸也。故无用而生谓之道，用道得终谓之常；有所用而死者亦谓之道，用道而得死者亦谓之常。

季梁之死，杨朱望其门而歌。随梧之死，杨朱抚其尸而哭。隶人[1]之生，隶人之死，众人且歌，众人且哭。

【注释】

①隶人：这里指一般人。

【译文】

无所凭借而永远存在的，是道。依照生存之道而生存，所以即使生命终结了，为生之道也不会灭亡，这是常理。依照生存之道应该活着却死去的，是不幸。有所凭借而最终死去的，也是道。依照死亡之道而死去的，所以即使生命没有终结而自行消亡的，也是常理。依照死亡之道应该死去却活着的，是侥幸。所以无所依凭而生存的称作道，依照大道而生命得以终结的称作常理；有所依凭而死去的也称作道，依照大道而得以死去的也称作常理。

季梁死了，杨朱遥望着他的家门歌唱。随梧死了，杨朱抚着他的尸体哭泣。普通人出生了，普通人死去了，众人或是歌唱，众人或是哭泣。

【原文】

目将眇[1]者，先睹秋毫[2]；耳将聋者，先闻蚋[3]飞；口将爽[4]

者，先辨淄、渑[5]；鼻将窒者，先觉焦朽；体将僵者，先亟犇佚[6]；心将迷者，先识是非：故物不至者则不反。

【注释】

①眇（miǎo）：失明。②秋毫：这里指极细微的事物。③蜹（ruì）：蚊子。④爽：差。⑤淄、渑：都为古水名，在今山东境内。⑥犇（bēn）佚：轻松地奔跑。

【译文】

眼睛将要失明的人，反而能先看到极为细微的事物；耳朵将要失聪的人，反而能先听到蚊子乱飞的声音；口舌将要失去味觉的人，反而能先分辨出淄、渑两水滋味的差别；鼻子将要失去嗅觉的人，反而能先闻到烧焦腐烂的气味；身体将要僵硬的人，反而能先轻快地奔跑；心智将要迷乱的人，反而能先识别对错：所以事物不发展到极点，是不会走向它的反面的。

【原文】

郑之圃泽多贤，东里多才。

圃泽之役有伯丰子[1]者，行过东里，遇邓析[2]。

邓析顾其徒而笑曰："为若舞[3]彼来者，奚若？"

其徒曰："所愿知也。"

邓析谓伯丰子曰："汝知养养之义乎？受人养而不能自养者，犬豕之类也；养物而物为我用者，人之力也。使汝之徒食而饱，衣而息，执政之功也。长幼群聚而为牢[4]藉庖厨之物，奚异犬豕之类乎？"

伯丰子不应。

伯丰子之从者越次[5]而进曰："大夫不闻齐鲁之多机乎？有善治土木者，有善治金革者，有善治声乐者，有善治书数者，有善治军旅者，有善治宗庙者，群才备也。而无相位者，无能相使者。而位之者无知，使之者无能，而知之与能为之使焉。执政者，乃吾之所使，子奚矜焉？"

邓析无以应。目其徒而退。

【注释】

①伯丰子：列子门徒。②邓析：春秋末郑国辩士。③舞：嘲弄。④牢：关牲畜的栏圈。⑤越次：越过尊卑秩序。

【译文】

郑国的圃泽有很多贤能之人，东里有很多才智之士。

圃泽有个门徒叫伯丰子的，路过东里，碰到了邓析。

邓析回头对自己的弟子笑了笑说："我为你们嘲弄他一下，怎么样？"

邓析的弟子们说："这正是我们希望看到的。"

邓析对伯丰子说："你知道被养育与养育的区别吗？被别人养活而不能自己养活自己的，是狗与猪一类的动物；养育万物而使万物为自己所用的，是人的能力。让你们这些人吃得饱、穿得暖并得到休息的，都是我们这些执政者的功劳。而你们只会老老少少群居聚集在一起，就像是住在关牲畜的栏圈里吃着厨房里的饭菜，这与狗猪一类动物有什么区别？"

伯丰子不加理会。

伯丰子的弟子越过尊卑秩序，上前说："大夫没有听说过齐国和鲁国有许多很有才能的人吗？有的擅长盖房子，有的擅长制造兵器铠甲，有的擅长作曲奏乐，有的擅长书写计数，有的擅长带兵作战，有的擅长宗庙祭祀活动，各种各样的人才都具备了。但却没有做国相的人，没有能管理和使用他们的人。管理他们的人没有知识，使用他们的人没有能力，而有专门知识和技能的人却被他们管理和使用。你们这些执政的人，都是我们所管理和使用的，你有什么值得傲慢的呢？"

邓析没有话可说，用眼神示意他的弟子离开。

【原文】

公仪伯以力闻诸侯，堂谿公[1]言之于周宣王。王备礼以聘之。公仪伯至，观形，懦夫也。宣王心惑而疑曰："女之力何如？"

公仪伯曰："臣之力能折春螽②之股，堪③秋蝉之翼。"

王作色曰："吾之力能裂犀兕④之革，曳九牛之尾，犹憾其弱。女折春螽之股，堪秋蝉之翼，而力闻天下，何也？"

公仪伯长息退席，曰："善哉王之问也！臣敢以实对。臣之师有商丘子者，力无敌于天下，而六亲不知；以未尝用其力故也。臣以死事之。乃告臣曰：'人欲见其所不见，视人所不窥；欲得其所不得，修人所不为。故学视者先见舆薪，学听者先闻撞钟。夫有易于内者无难于外。于外无难，故名不出其一家。'今臣之名闻于诸侯，是臣违师之教，显臣之能者也，然则臣之名不以负其力者也，以能用其力者也；不犹愈于负其力者乎？"

【注释】

①堂谿公：周朝贤人，复姓堂谿。②春螽（zhōng）：昆虫名。③堪：刺破。④兕（sì）：古代犀牛一类的兽名。

【译文】

公仪伯以力气大而闻名于诸侯，堂谿公把这事报告给了周宣王，周宣王准备了厚礼去聘请他。公仪伯来了后，宣王看他的样子，像个懦弱无力的人。宣王心中疑惑，问道："你的力气怎么样？"

公仪伯说："我的力气能折断春螽的大腿，能刺穿秋蝉的翅膀。"

宣王变了脸色，说："我的力气能撕开犀兕的皮革，拖住九头牛的尾巴，还嫌力气太小。你只能折断春螽的大腿，刺穿秋蝉的翅膀，却以力气大而闻名于天下，这是为什么呢？"

公仪伯长长地叹了一口气，离开了座席，说："大王问得好啊！我大胆地把实际情况告诉您。我的老师中有个叫商丘子的，力气大得天下没有对手，而他的父母兄弟妻子却不知道；这是他从来没有用过他的力气的缘故。我死心塌地去侍奉他，他才告诉我说：'人们都想见自己所见不到的，观察别人所观察不到的；

想得到自己所得不到的，修习别人做不到的。所以练习眼神的人总是先看装满车子的木柴，练习听声音的总是先听撞钟的声音。在心里觉得容易了，在外面做起来便不会困难。在外面做起来没有困难，因而名声也就出不了自己的家。'现在我的名声传遍了各诸侯国，是我违背了老师的教导，显示了自己能力的缘故。那就是说，我的名声不是由我倚仗自己的力气得到的，而是由我运用自己的力气得到的；这不是比倚仗自己力气的人更好一些吗？"

【原文】

中山公子牟[①]者，魏国之贤公子也。好与贤人游，不恤国事，而悦赵人公孙龙。乐正子舆之徒笑之。

公子牟曰："子何笑牟之悦公孙龙也？"

子舆曰："公孙龙之为人也，行无师，学无友，佞给[②]而不中，漫衍而无家，好怪而妄言。欲惑人之心，屈人之口，与韩檀等肄[③]之。"

公子牟变容曰："何子状公孙龙之过欤？请闻其实。"

子舆曰："吾笑龙之诒孔穿[④]，言：'善射者能令后镞[⑤]中前括，发发相及，矢矢相属[⑥]；前矢造准而无绝落，后矢之括犹衔弦，视之若一焉。'孔穿骇之。龙曰：'此未其妙者。逢蒙之弟子曰鸿超，怒其妻而怖之，引乌号之弓，綦卫[⑦]之箭，射其目。矢来注眸子而眶不睫，矢隧地而尘不扬。'是岂智者之言与？"

公子牟曰："智者之言固非愚者之所晓。后镞中前括，钧后于前。矢注眸子而眶不睫，尽矢之势也。子何疑焉？"

乐正子舆曰："子，龙之徒，焉得不饰其阙？吾又言其尤者。龙诳魏王曰：'有意不心。有指不至。有物不尽。有影不移。发引千钧。白马非马。孤犊未尝有母。'其负类反伦，不可胜言也。"

公子牟曰："子不谕至言而以为尤也，尤其在子矣。夫无意则心同。无指则皆至。尽物者常有。影不移者，说在改也。发引千钧，势至等也。白马非马，形名离也。孤犊未尝有母，非孤犊也。”

乐正子舆曰：“子以公孙龙之鸣皆条也。设令发于余窍[8]，子亦将承之。”

公子牟默然良久，告退，曰：“请待余日，更谒子论。”

【注释】

①中山公子牟：魏国公子，名牟，因封于中山，故称“中山公子牟”。②佞给：巧言善辩。③韩檀：桓团，战国时赵国的辩士。肄（yì）：研习。④孔穿：孔子的六世孙。⑤镞（zú）：箭头。⑥相属（zhǔ）：相连。⑦綦（qí）卫：古时产于綦地的箭。⑧余窍：肛门。

【译文】

中山公子牟这个人，是魏国贤能的公子。喜欢与贤人交游，不关心国家事务，而欣赏赵国人公孙龙。乐正子舆这班人为此而笑话他。

公子牟说：“你为什么要笑话我欣赏公孙龙呢？”

子舆说：“公孙龙的为人，言行没有师承，为学没有朋友，巧言善辩而不合常理，知识杂乱而不成一家之言，喜欢奇谈怪论而胡说八道，总想着迷惑别人的心灵，折服别人的口舌，与韩檀研习的那一套一样。”

公子牟变了脸色，说：“你凭什么这样指责公孙龙的过错呢？请说出具体事实。”

子舆说：“我笑公孙龙哄骗孔穿，他说：‘善于射箭的人能使后一支箭的箭头射中前一支箭的箭尾，一箭挨着一箭，一箭连着一箭；前面一箭对准目标尚未射到，后面一箭的箭尾已经放上了弓弦，看上去好像连成了一支箭。’孔穿大为惊骇。公孙龙说：‘这还不是最妙的。逢蒙有个叫鸿超的弟子，因对妻子大发脾气，要吓唬她，便用乌号弓，綦卫的利箭，射她的眼睛。箭头飞到眼前，她却没有眨一下眼睛，箭掉到地上，也没有一点尘土飞扬。’这难道是聪明人所说的话吗？”

公子牟说："聪明人说的话本来就不是愚蠢的人所能明白的。后一支箭的箭头射中前一支箭的箭尾，是因为后一支箭的用力与方向和前一支箭完全相同。箭飞到眼前而没有眨一下眼睛，是因为箭的力量到了眼睛那里时已经用尽了。你又怀疑什么呢？"

乐正子舆说："你和公孙龙是一伙的，哪能不掩饰他的错误呢？我再说说他更荒谬的言论。公孙龙诓骗魏王说：'有意念产生，但心的本体却没有活动。有了具体概念，却不能包括所有的事物。有具体事物，却不能把所有的事物都包括进去。影子是不会移动的。头发可以牵引千钧重的物体。白马不是马。孤牛犊不曾有过母亲。'他那些与人们的看法相违背、与常理相反的言论，说也说不完。"

公子牟说："你不懂得这些至理名言反而认为是谬论，其实荒谬的恰恰是你。没有意念，心的作用与本体才能同一。没有具体所指，才能得到万物的本质。能包括所有事物的，只能是永恒的'存在'。说影子不会移动，是因为它处在不断的变化中。头发能牵引千钧重的物体，是因为'势'到了能牵引千钧的程度。白马不是马，是把马的形状与马的名称分离开来而言的。孤牛犊不曾有过母亲，是因为母亲健在它就不能称作孤牛犊。"

乐正子舆说："你认为公孙龙的言论都是有道理的。假如他放个屁，你恐怕也会去奉承他。"

公子牟沉默了好久，告辞说："请过些时候，再邀你来辩论。"

【原文】

尧治天下五十年，不知天下治欤，不治欤？不知亿兆之愿戴己欤，不愿戴己欤？顾问左右，左右不知。问外朝，外朝不知。问在野，在野不知。

尧乃微服游于康衢[①]，闻儿童谣曰："立我蒸民[②]，莫匪[③]尔极。不识不知，顺帝之则[④]。"尧喜问曰："谁教尔为此言？"童儿曰："我闻之大夫。"问大夫。大夫曰："古诗也。"

尧还宫，召舜，因禅以天下。舜不辞而受之。

【注释】

①康衢：四通八达的大道。②蒸民：老百姓。蒸，通"烝"，众。③匪：同"非"。④则：准则。

【译文】

尧治理天下五十年，不知道天下是治理好了，还是没有治理好？不知广大百姓愿意拥戴自己，还是不愿意拥戴自己？环顾问身边的近臣，近臣们不知道。问宫外朝廷上的百官，百官也不知道。问在民间的贤者，他们也不知道。

尧于是穿上百姓的衣服在四通八达的大道上游览打听，听到有儿童唱的歌谣说："养育我们百姓，莫不是因您的美德。大家全都不知不觉，遵循着天帝的法则。"尧高兴地问道："是谁教你唱这首歌的？"儿童答道："我们是从大夫那里听来的。"又问大夫。大夫说："这是一首古诗。"

尧回到宫中，召见舜，便把帝位让给了他。舜没有推辞便接受了。

【原文】

关尹喜曰："在己无居，形物其箸[①]。其动若水，其静若镜，其应若响，故其道若物者也。物自违道，道不违物。善若道者，亦不用耳，亦不用目，亦不用力，亦不用心。欲若道而用视听形智以求之，弗当矣。瞻之在前，忽焉在后；用之弥满六虚[②]，废之莫知其所。亦非有心者所能得远，亦非无心者所能得近。唯默而得之而性成之者得之。知而亡情，能而不为，真知真能也。发无知，何能情？发不能，何能为？聚块也，积尘也，虽无为而非理也。

【注释】

①箸：同"著"，显明。②六虚：六合，即天下。

【译文】

关尹喜说：“只要自己的内心无所偏执，外界的事理就自然显明。它动如流水，静如明镜，回应着一切如同回音。所以说道是顺应事物的。只有物违背道，道不会违背物。善于体悟道的人，也不用耳朵，也不用眼睛，也不用形体，也不用心智。想要体悟道却又用眼睛、耳朵、形体、心智去寻求，就不得当了。道看上去在前面，忽然又到了后面；它发生作用时充盈六合，不起作用时又不知去向何方。也不是有心求道之人能使它远离，也不是无心求道之人能使它靠近。只有虚静默然地体察本性的人才能够得到它。通理而无情，能干而无为，这才是真正的智识、真正的才能。从无知出发，如何还能动情？从无能出发，如何还能作为？那聚集的土块，堆积的灰尘，虽然无所作为，却并非是至道的体现。”

汤问第五

【题解】

在本卷中，作者通过诸多超逸绝尘的神话传说，以期让世人摒弃事物之表象，作者认为纠结于外物的长短、大小、异同，都是世人浅陋的常识。世间万物，包括人的夭寿祸福，都是自然而然，自化而化，自生自灭的。

为人处世，皆需保持身与心的平衡，唯此，才可以内得于心，外应于器。不会为荒诞与臆断所困所扰，才能够达到“道”的境界。

【原文】

殷汤问于夏革[1]，曰：“古初有物乎？”

夏革曰：“古初无物，今恶得物？后之人将谓今之无物，可乎？”

殷汤曰：“然则物无先后乎？”

夏革曰：“物之终始，初无极已。始或为终，终或为始，恶知其纪？然自物之外，自事之先，朕所不知也。”

殷汤曰：“然则上下八方有极尽乎？”

革曰：“不知也。”

汤固问。

革曰：“无则无极，有则有尽；朕何以知之？然无极之外复无无极，无尽之中复无无尽。无极复无无极，无尽复无无尽。朕以是知其无极无尽也，而不知其有极有尽也。”

汤又问曰：“四海之外奚有？”

革曰：“犹齐州[2]也。”

汤曰："汝奚以实之？"

革曰："朕东行至营[3]，人民犹是也。问营之东，复犹营也。西行至豳，人民犹是也。问豳之西，复犹豳也。朕以是知四海、四荒、四极[4]之不异是也。故大小相含，无穷极也。含万物者，亦如含天地。含万物也故不穷，含天地也故无极。朕亦焉知天地之表不有大天地者乎？亦吾所不知也。然则天地亦物也。物有不足，故昔者女娲氏练五色石以补其阙，断鳌之足以立四极。其后共工氏与颛顼争为帝，怒而触不周之山，折天柱，绝地维；故天倾西北，日月辰星就焉；地不满东南，故百川水潦[5]归焉。"

汤又问："物有巨细乎？有修短乎？有同异乎？"

革曰："渤海之东不知几亿万里，有大壑[6]焉，实惟无底之谷，其下无底，名曰归墟。八纮[7]九野之水，天汉之流，莫不注之，而无增无减焉。其中有五山焉：一曰岱舆，二曰员峤，三曰方壶，四曰瀛洲，五曰蓬莱。其山高下周旋三万里，其顶平处九千里。山之中间相去七万里，以为邻居焉。其上台观皆金玉，其上禽兽皆纯缟。珠玕之树皆丛生，华实皆有滋味，食之皆不老不死。所居之人皆仙圣之种；一日一夕飞相往来者，不可数焉。而五山之根无所连箸，常随潮波上下往还，不得暂峙[8]焉。仙圣毒之，诉之于帝。帝恐流于西极，失群仙圣之居，乃命禺彊使巨鳌十五举首而戴之。迭为三番，六万岁一交焉。五山始峙而不动。而龙伯之国有大人，举足不盈数步而暨五山之所，一钓而连六鳌，合负而趣，归其国，灼其骨以数[9]焉。于是岱舆、员峤二山流于北极，沉于大海，仙圣之播迁者巨亿计。帝凭[10]怒，侵减龙伯之国使阨，侵小龙伯之民使短。至伏羲神农时，其国人犹数十丈。从中州以东四十万里得僬侥国[11]。人长一尺五寸。东北极有人名曰诤人[12]，长九寸。荆之南有冥灵者，以五百岁为春，五百岁为秋。上古有大椿者，以八千岁为春，八千岁为秋。朽壤之上有菌芝者，生于朝，死于晦。春夏之月有蠓蚋者，因雨而生，见阳而死。终北之北有溟海者，天池也。有鱼焉，其广数千里，其长称焉，其名为鲲。有鸟焉，其名为鹏，翼若垂天之云，其体称焉。世岂知有此物哉？大禹行而见之，伯益知而名之，夷坚闻而志之。江浦之间生麽⑬虫，其名曰焦螟。群飞而集于蚊睫，弗相触也。栖宿去来，蚊弗觉也。离朱、子羽方昼拭眦扬眉而望之，弗见其形；䗥俞、师旷方夜擿耳俛首⑭而听之，弗闻其声。唯黄帝与容成子居空峒之上，同斋三月，心死形废；徐以神视，块然见之，若嵩山之阿；徐以气听，砰然闻之，若雷霆之声。吴楚之国有大木焉，其名为櫾⑮，碧树而冬生，实丹而味酸；食其皮汁，已愤厥之疾。齐州珍之，渡淮而北而化为枳焉，鸜鹆不逾济，貉逾汶则死矣；地气然也。虽然，形气异也，性钧已，无相易已。生皆全已，分皆足已。吾何以识其巨细？何以识其修短？何以识其同异哉？”

【注释】

①夏革（jí）：人名，又写作“夏棘”，字子棘，汤大夫。②齐州：中央之洲，泛指中国。③营：营洲，古十二洲之一，在今辽宁一带。④四海、四荒、四极：指天下各处。四海，泛指全国各地。四荒，泛指四方边荒之地。四极，泛指四方极远之地。⑤潦（lǎo）：积水。⑥大壑：大海。⑦八纮（hóng）：八极，此处泛指极远的地方。⑧踌峙：短暂停留。⑨数：占卜。⑩淜（píng）：愤懑。⑪僬侥（jiāo yáo）国：传说中的矮人国。⑫诤人：古代传说中的小矮人。⑬麽：（mó）：细小。⑭䗥（zhì）俞：传说中的善听者。擿（zhì）：搔爬。俛（fǔ）首：低头。⑮櫾（yòu）：同“柚”，柚树。

【译文】

商汤问夏革说：“远古之初有万物吗？”

夏革说：“如果古代之初没有万物，现在哪来的万物？将来的人要说现在没有万物，可以吗？”

商汤又问：“那么万物的产生没有先后之别吗？”

夏革说：“万物的死亡与产生，本来没有界限。这个事物的产生可能就是那个事物的死亡，这个事物的死亡可能就是那个事物的开始，又怎么能弄清它们的头绪呢？在我看到的万物以外，在我知道的万事以前，都是我所不知道的。”

商汤问：“那么上下八方有尽头吗？”

夏革说：“不知道。”

商汤再三问他。

夏革说：“看不见的东西没有极限，看得见的东西没有止境，我怎么能知道呢？但是在没有极限之外更是连没有极限都没有，在没有穷尽之中又没有无穷尽。既没有极限又没有无极限，既没有穷尽又没有无穷尽。我根据这一点知道万物没有极限、没有穷尽，而不知道它有极限有穷尽。”

商汤又问道：“四海之外有什么？”

夏革说：“同中国一样。”

商汤问：“你用什么来证实这个看法？”

夏革说：“我向东走到营州，看见那里的人民同这里一样。问他们营州的东面怎么样，说是也同营州一样。向西走到豳州，看见那里的人民同这里一样。问他们豳州的西面怎么样，说也同豳州一样。我根据这些知道全国各地、四方边荒之地、四方极远之地同我们这里没有什么两样。所以大物与小物互相包含，没有穷尽。包含万物的，就像包含天地一样。因为包含着万物所以没有穷尽，因为包含着天地所以没有极限。我怎么能知道天地之外没有比天地更大的存在呢？这也是我所不知道的。但是天地也不过是物体。物体自有不足之处，所以过去女娲氏烧炼五色石去弥补天的漏洞，砍断大龟的四只脚去撑起四极。那以后共工氏与颛顼争夺帝位，失败后因愤怒而一头撞在了不周山上，撞断了顶着天的柱子，扯断了拉着地的绳子；所以天往西北方向倾斜，日月星辰都向西北运动；地往东南方向下陷，所以江河的积水都向东南流淌汇集。”

商汤又问：“万物有大小吗？有长短吗？有同异吗？”

夏革说："在渤海的东面不知几亿万里远的地方，有一片浩瀚的大海，实际上是一个没有底的深谷，那下面没有底，名字叫归墟。地面八极、天空八方中央的流水，以及银河的流水，没有不流到那里的，而那里的水没有因此而增加或减少。那里有五座山：第一座叫岱舆，第二座叫员峤，第三座叫方壶，第四座叫瀛洲，第五座叫蓬莱。每座山高低方圆达三万里，山顶上的平坦处有九千里。山与山之间距离达七万里，相邻分布在海上。山上的亭台楼观都由黄金玉石建成，山上的飞禽走兽皮毛都是纯白色的。珠玉宝石一样的树长得密密麻麻，花朵与果实的味道都很鲜美，吃了它可以永远不老，永不死亡。住在那里的人都是神仙圣人一类，一天一夜就能飞过去又飞回来的人，数也数不清。但五座山的根部并不相连，经常跟随潮水的波浪上下颠簸，来回移动，连短暂的停留也没有。神仙和圣人们都讨厌此事，便报告了天帝。天帝担心这五座山流到西方极远之地，使众多的神仙与圣人失去居住的地方，于是命令禺彊指挥十五只大龟抬起脑袋把这五座山顶住。他把大龟分为三班，六万年一换。这五座山才开始稳定下来不再流动。但是龙伯之国有个巨人，抬起脚没走几步就到了这五座山所在的地方，一钓就钓上了六只大龟，合起来背上就回到了自己的国家，然后烧大龟的骨头来占卜吉凶。于是岱舆和员峤二山便漂流到了最北边，沉入了大海，神仙和圣人流离迁徙的多得要用亿数来计算。天帝大为愤懑，于是逐渐缩小龙伯国的国土使它越来越狭小，逐渐缩短了龙伯国的人民使他们越来越矮。即使这样，到伏羲、神农的时代，那个国家的人还有数十丈高。从中国往西四十万里有一个僬侥国，人们的身高只有一尺五寸。最东北边有种人叫诤人，身高只有九寸。荆州南面有一种冥灵树，生一次叶的时间需五百年，落一次叶的时间也达五百年。上古时有一种大椿树，生一次叶需八千年，落一次叶也要八千年。腐烂的土壤上有一种叫菌芝的植物，早上长出来，到晚上就死去了。春天和夏天有一种叫蠓蚋的小飞虫，下雨时出生，一见太阳就死了。终北国以北有个溟海，又叫天池，其中有一种鱼，宽达数千里，它的长度和宽度相称，鱼的名字叫作鲲。又有一种鸟，它的名字叫作鹏，翅膀像垂在天上的云，它的身体大小也和翅膀相称。世上的人哪里知道有这些东西呢？大禹巡行时见到了它们，伯益知道后给它们起了名字，夷坚听说后把它们记录了下来。江边生有一种极细小的虫子，它的名字叫焦螟，成群地飞起来聚集在蚊子的眼睫毛上，互相之间还碰不到。在睫毛上休息、停宿，蚊子一点也没有觉察。离朱、子羽在大白天擦了眼睛瞪着眼睛去观看，也看不到它们的形体；觽俞、师旷在夜深人静时掏空耳朵低着脑袋去倾听，也听不到它们的声音。只有黄帝和容成子居住在空峒山上，一同斋戒三个月，心念死寂，形体废弃；然后慢慢地用神念去观察，才能看到焦螟的形体，像是嵩山的山丘那般大；慢慢地用元气去倾听，才能听到砰砰的声音，像是雷霆的声音。吴国和楚国有一种大树，它的名字叫作柚，绿色的树叶到冬天还是青绿色，果实是红的，味道是酸的；吃它的皮和汁，可以治愈因气逆而引发的昏厥的疾病。中原的人珍爱它，但移植到淮河以北便成了枳。八哥不能渡过济水，狗獾渡过岷江就死了；这些都是各地水土气候不同造成的。纵然如此，形状和气质不同，但各自的习性对于各自生长环境而言都是平衡均等的，无法互相交换。生存条件都已完备，天分条件也很充足。我怎么能辨别它们的大小？怎么能辨别它们的长短？怎么能辨别它们的同异呢？”

【原文】

太形、王屋二山，方七百里，高万仞；本在冀州之南，河阳之北。

北山愚公者，年且九十，面山而居。惩[①]山北之塞，出入之迂也，聚室而谋，曰：“吾与汝毕力平险，指通豫南，达于汉阴，可乎？”杂然相许。其妻献疑[②]曰：“以君之力，曾不能损魁父之丘，如太形、王屋何？且焉置土石？”杂曰：“投诸渤海之尾[③]，隐土之北。”遂率子孙荷担者三夫，叩石垦壤，箕畚运于渤海之尾。邻人京城氏之孀妻有遗男，始龀④，跳往助之。寒暑易节，始一反焉。

河曲智叟笑而止之，曰："甚矣汝之不惠⑤！以残年余力，曾不能毁山之一毛，其如土石何？"北山愚公长息曰："汝心之固，固不可彻，曾不若孀妻弱子。虽我之死，有子存焉；子又生孙，孙又生子；子又有子，子又有孙，子子孙孙，无穷匮也，而山不加增，何苦而不平？"河曲智叟亡以应。

操蛇之神闻之，惧其不已也，告之于帝。帝感其诚，命夸蛾氏二子负二山，一厝朔东，一厝雍南。自此，冀之南、汉之阴无陇断焉。

【注释】

①惩：苦于。②献疑：提出疑问。③渤海之尾：渤海的边上。④龀（chèn）：小孩子换牙。⑤惠：聪慧，明智。

【译文】

太行、王屋两座大山，方圆七百里，高一万仞；原来在冀州的南边，河阳的北面。

山北面有个老人叫愚公，年纪将近九十岁了，面对着大山居住。苦于大山堵塞了山北往山南的去路，出入都要绕着山走，于是召集全家商议，说："我和你们用毕生精力削平险峻，使道路直通豫州的南部，到达汉水的南面，行吗？"全家纷纷表示赞成。他的妻子提出了疑问，说："凭你的力气，连魁父这样一个小小的土丘也动不了，又能对太行山、王屋山怎样呢？而且挖出来的土块石头又放到哪里呢？"

大家纷纷说："倒到渤海的边上，隐土的北边。"愚公于是就带领儿孙中能挑担子的三个人，敲石挖土，用畚箕运到渤海的边上。邻居京城氏家的寡妇有个遗腹子，刚到换牙齿的年龄，蹦蹦跳跳地也跑来帮忙。冬夏季节变换一次，才能往返一趟。

河曲智叟笑着劝阻他们，说："你也太不明智了！以你快要死的年纪，剩下的一点力气，连山上的一株小草也毁不掉，又能对土块和石头怎样呢?”北山愚公长叹道:“你的思想太顽固,顽固得无法说通,连寡妇和小孩都不如。即使我死了,还有儿子在;儿子又生孙子,孙子又生儿子;儿子又有儿子,儿子又有孙子;子子孙孙,没有穷尽,而山却不会再增高,为什么要担心挖不平呢?”河曲智叟无话可答。

操蛇的山神听说这件事后,怕他们真的挖个不停,便报告了天帝。天帝被他们的诚心所感动,命令夸蛾氏的两个儿子背起这两座山,一座放到了朔州的东面,一座放到了雍州的南面。从此,冀州的南部、汉水的南面再没有大山的阻隔了。

【原文】

夸父不量力,欲追日影。逐之于隅谷[①]之际,渴欲得饮,赴饮河、渭。河、渭不足,将走北饮大泽。未至,道渴而死。弃其杖,尸膏肉所浸,生邓林。邓林弥广数千里焉。

【注释】

①隅(yú)谷:古代传说中太阳落山的地方。

【译文】

夸父自不量力,去追赶太阳的影子,一直追到太阳落山的隅谷,这时他口渴了想喝水,便跑到黄河与渭水边喝水,黄河、渭水不够喝,就准备到大湖去喝。还没有走到,就渴死在半道上了。他扔掉的手杖,被尸体中血肉浸润,生长成了一片桃林。桃林方圆达数千里。

【原文】

大禹曰:“六合[①]之间,四海之内,照之以日月,经之以星辰,纪之以四时,要之以太岁[②]。神灵所生,其物异形;或夭或寿,唯圣人能通其道。”

夏革曰:“然则亦有不待神灵而生,不待阴阳而形,不待日月而明,不待杀戮而夭,不待将迎[③]而寿,不待五谷而食,不待缯纩[④]而衣,不待舟车而行。其道自然,非圣人之所通也。”

【注释】

①六合：天下。②太岁：即木星。③将迎：保养。④缯纩（zēng kuàng）：泛指丝绸。

【译文】

大禹说："天地四方之间，日月照耀，星辰漫布，四时更替，又有太岁星的循环来规定纪年。神灵孕育产生的万物，外形性质各不相同；有的早夭，有的长寿，只有圣人才能明白其中的道理。"

夏革说："但是也有不靠神灵的孕育而产生的，不需要阴阳交合就形成的，不倚赖日月的照耀就光亮的，不遭到杀戮就夭亡的，不特意保养就长寿的，不食用五谷就饱腹的，不穿着丝绸就暖身的，不凭借车船就行走路的。这一切都是自然而然，不是圣人所能够明白的。"

【原文】

禹之治水土也，迷而失涂，谬之一国。滨北海之北，不知距齐州几千万里，其国名曰终北，不知际畔之所齐限[①]。无风雨霜露，不生鸟兽、虫鱼、草木之类。四方悉平，周以乔[②]陟[③]。当国之中有山，山名壶领，状若甔[④]甀[⑤]。顶有口，状若员环，名曰滋穴。有水涌出，名曰神瀵[⑥]，臭过兰椒，味过醪醴。一源分为四埒[⑦]，注于山下。经营一国，亡不悉遍。土气和，亡札厉[⑧]。人性婉而从物，不竞不争；柔心而弱骨，不骄不忌；长幼侪居，不君不臣；男女杂游，不媒不聘；缘水而居，不耕不稼；土气温适，不织不衣；百年而死，不夭不病。其民孳阜亡数，有喜乐，亡衰老哀苦。其俗好声，相携而迭谣，终日不辍音。饥惓则饮神瀵，力志和平。过则醉，经旬乃醒。沐浴神瀵，肤色脂泽，香气经旬乃歇。

周穆王北游过其国，三年忘归。既反周室，慕其国，慠然[⑨]自失。不进酒肉，不召嫔御者，数月乃复。

管仲勉齐桓公因游辽口，俱之其国，几克举。隰朋谏曰：

"君舍齐国之广，人民之众，山川之观，殖物之阜，礼义之盛，章服之美，妖靡盈庭，忠良满朝。肆咤则徒卒百万，视㧑[10]则诸侯从命，亦奚羡于彼而弃齐国之社稷，从戎夷之国乎？此仲父之耄，奈何从之？"桓公乃止，以隰朋之言告管仲。仲曰："此固非朋之所及也。臣恐彼国之不可知之也，齐国之富奚恋？隰朋之言奚顾？"

【注释】

①齐限：界限。②乔：高大。③陟（zhì）：山势层叠。④甔（dān）：坛子一类的陶器。⑤甄（zhuì）：小口瓮。⑥神瀵（fèn）：神水。⑦埒（liè）：山上的水道。⑧札（zhá）厉：瘟疫。⑨惝（chǎng）然：失意貌。⑩视㧑（huī）：指挥。

【译文】

大禹治理水土，迷失了道路，错走到了一个国家。这个国家在北海北边的海滨，不知离中国有几千万里远。那个国家名叫终北，不知它的界限到哪里为止。终年没有风雨霜露，不生鸟兽、虫鱼、草木这些东西。东南西北四个方向都很平坦，四周则环绕着高大层叠的山岭。在国土的正当中有座山，山名叫作壶领，形状像个小口的坛瓮。山顶上有个口，形状像个圆环，名叫滋穴。有水从中涌出，名叫神水，它的香味胜过兰草花椒，它的滋味胜过甘泉美酒。从这一个水源分出四条支流，流注到山脚下。泉水经过全国，没有浸润不到的地方。这个国家土地丰润，气候温和，没有因瘟疫而早夭的人。人的性情委婉和顺，随遇而安，不竞逐、不争夺；心地善良，筋骨软弱，不骄傲、不嫉妒；年长的和年幼的都平等地居住在一起，没有国君没有大臣；男女混杂游耍，没有媒妁，没有聘嫁；靠着水居住，不种田不收割；土地气候温和适宜，不织布帛、不穿衣服；活一百岁才死，不早夭、不生病。那里的人民繁衍无数，人丁兴旺，有喜有乐，没有衰老、悲哀和痛苦。那里的风俗喜欢音乐，手拉手轮流唱歌，歌声整天不停。饥饿疲倦了就喝神水，力气和心志便又恢复中和与平静。喝多了便醉，十几天才能醒。用神水洗澡，肤色柔滑而有光泽，香气十几天才消散。

周穆王到北方游历时曾经到过那个国家，三年忘记回家。回到周国以后，仍然思慕那个国家，觉得十分失意，不想吃酒肉，也不见嫔妃，过了好几个月才恢复正常。

管仲鼓动齐桓公趁着游历辽口的时机，一同到那个国家去，几乎要动身了。这时隰朋劝阻说："您丢弃的是齐国广阔的土地，众多的人民，秀丽的山川，丰富的物产，隆盛的礼义，华丽的穿戴，妖艳嫔妃充满后宫，文武忠良充满朝廷。您叱咤一声就能聚集士兵百万，号令一下就能使诸侯听命，又为什么要羡慕别的国家而抛弃齐国的祖宗和土地，去野蛮落后的国家呢？这是仲父老糊涂了，为什么要听他的？"桓公于是停止了出游的准备，把隰朋的话告诉了管仲。管仲说："这本来就不是隰朋所能明白的。我只怕那个国家去不了了，齐国的富饶有什么可留恋的？隰朋的话有什么可顾及的？"

【原文】

南国之人祝发①而裸，北国之人鞨巾②而裘，中国之人冠冕而裳。九土所资，或农或商，或田或渔；如冬裘夏葛，水舟陆车，默而得之，性而成之。

越③之东有辄沐之国，其长子生，则鲜而食之，谓之宜弟。其大父④死，负其大母⑤而弃之，曰：鬼妻不可以同居处。

楚之南有炎人之国，其亲戚死，朽⑥其肉而弃之，然后埋其骨，乃成为孝子。

秦之西有仪渠之国者，其亲戚死，聚祡⑦积而焚之，燻则烟上，谓之登遐，然后成为孝子。

此上以为政，下以为俗，而未足为异也。

【注释】

①祝发：剃发。②鞨（mò）巾：古代男子束发的头巾。③越：越国。④大父：祖父。⑤大母：祖母。⑥朽（xiǔ）：腐烂。⑦祡：同"柴"。

【译文】

南方人剃去头发，赤身裸体，北方人裹着头巾，身穿裘皮，中原人头戴冠巾，身穿衣裙。九州大地提供各种资源，人们或是务农或是经商，或是耕田或是捕鱼；就像冬天穿裘皮，夏天穿丝绸，水行坐船，陆行乘车一样，不用说话自然明白，顺应本性自然形成。

越国的东面有个辄沐国，那里的人生下长子，就献上来吃掉，说是这样能多生儿子。祖父死了，他们就背上祖母，把她抛弃在荒郊野外，说：死鬼的妻子不能与我们住在一起。

楚国的南面有个炎人国，那里的人死了父母，就把尸体上腐烂的肉剔下来扔掉，然后把尸骨埋到土里，这样才算是孝子。

秦国的西面有个仪渠国，那里的人死了父母，就把柴火堆起来放在尸体下焚烧。烈焰和浓烟升腾而上，就说是死者登天了，这么做才算是孝子。

这些做法都是当政的人推行了，老百姓就作为风俗履行，并不足以感到奇怪。

【原文】

孔子东游，见两小儿辩斗。问其故。

一儿曰：“我以日始出时去①人近，而日中时远也。”

一儿以日初出远，而日中时近也。

一儿曰：“日初出大如车盖，及日中，则如盘盂：此不为远者小而近者大乎？”

一儿曰：“日初出沧沧凉凉，及其日中如探汤：此不为近者热而远者凉乎？”

孔子不能决也。

两小儿笑曰：“孰为②汝多知乎？”

【注释】

①去：距离。②为：通“谓”，说。

【译文】

孔子到东方游历，看见两个小孩在争论，便问他们其中的缘故。

一个小孩说："我认为太阳刚升起时距离人近，而中午时离人远。"

另一个小孩认为太阳刚升起时距离人远，而中午时距离人近。

前一个小孩说："太阳刚升起时像车盖那么大，到了中午，就像盘子那么小了：这不正是距离人远的显得小，距离人近所以显得大吗？"

后一个小孩说："太阳刚升起时又寒又冷，到中午像手伸进汤锅里一样：这不正是距离人近所以热，距离人远所以凉吗？"

孔子没法判断谁对谁错。

两个小孩笑着说："谁说你知识丰富啊？"

【原文】

均，天下之至理也，连于形物亦然。均发均县，轻重而发绝，发不均也。均也，其绝也莫绝。人以为不然，自有知其然者也。

詹何[①]以独茧丝为纶，芒针为钩，荆筱[②]为竿，剖粒为饵，引盈车之鱼于百仞之渊、汩流之中；纶不绝，钩不伸，竿不挠。楚王闻而异之，召问其故。

詹何曰："臣闻先大夫之言，蒲且子[③]之戈也，弱弓纤缴[④]，乘风振之，连双鸧[⑤]于青云之际。用心专，动手均也。臣因其事，放而学钓。五年始尽其道。当臣之临河持竿，心无杂虑，唯鱼之念；投纶沉钩，手无轻重，物莫能乱。鱼见臣之钩饵，犹沉埃聚沫，吞之不疑。所以能以弱制强，以轻致重也。大王治国诚能若此，则天下可运于一握，将亦奚事哉？"

楚王曰："善。"

【注释】

①詹何：战国时楚国人。②筱（xiǎo）：小竹。③蒲且子：战国时善射之人。④缴（zhuó）：系在绳子上的生丝绳。⑤鸧（cāng）：黄鹂。

【译文】

均衡，是天下最高的真理，涉及有形的具体事物也是这样。譬如发丝均匀，用力得当，悬挂的重物就不会跌落。如若轻重不均，发丝就会断绝，这是头发受力不均的缘故。如果受力均衡，本来会断绝的也不会断绝。有人认为不是这样，但自然会有懂得这个道理的人。

詹何用一根蚕丝做鱼线，用细如麦芒的针做鱼钩，再用细小的荆竹做鱼竿，剖开米粒做鱼饵，从百仞深渊和滔滔激流中，钓到能装满一辆车子的鱼；而且鱼线不断，鱼钩不弯，鱼竿不折。楚王听说这件事后感到非常奇怪，便召他来问其中的道理。

詹何说："我曾听先父说，蒲且子射鸟的时候，操起柔弱的弓箭，系上纤细的丝绳，趁着风势射出去，一箭能把一双黄鹂从青云之上射下来。这是因为他用心专一，用力均衡。我从中得到启发，效仿他射鸟的技法来学习钓鱼。用了五年时间才完全掌握了这种技术。当我在河边拿着钓竿的时候，心中没有杂念，只想着钓鱼；我投出鱼线，沉下鱼钩，手中用力轻重均衡，任何事物都不能扰乱我的心神。水中之鱼看见我的钓饵，认为是沉淀下来的尘埃和聚集在一起的泡沫，毫不怀疑地吞了下去。这就是我能以柔弱制服刚强，以轻物得到重物的道理。如果大王治理国家也能这样，那么整个天下就可以在你的手掌上运转，还会有什么做不到的事情呢？"

楚王说："说得好。"

【原文】

鲁公扈、赵齐婴二人有疾，同请扁鹊[1]求治。扁鹊治之。既同愈。

谓公扈、齐婴曰："汝曩之所疾，自外而干府藏者，固药石之所已。今有偕生之疾，与体偕长，今为汝攻之，何如？”

二人曰：“愿先闻其验[2]。”

扁鹊谓公扈曰：“汝志强而气弱，故足于谋而寡于断。齐婴志弱而气强，故少于虑而伤于专。若换汝之心，则均于善矣。”

扁鹊遂饮二人毒酒[3]，迷死三日，剖胸探心，易而置之；投以神药，既悟如初。二人辞归。

于是公扈反齐婴之室，而有其妻子，妻子弗识；齐婴亦反公扈之室，有其妻子，妻子亦弗识。二室因相与讼，求辨于扁鹊。扁鹊辨其所由，讼乃已。

【注释】

①扁鹊：战国时期著名神医。②验：征兆，症状。③毒酒：有麻醉作用的药酒。

【译文】

鲁国的公扈和赵国的齐婴两人患病，一同到扁鹊那里请求医治。扁鹊为他们看了病。不久两人的病就同时痊愈了。

扁鹊对公扈和齐婴说：“你们以前所害的病，是外界风邪侵扰腑脏引起的，本来用药草和针石就能治好。现在你们有生下来就患上的病，同身体的增长一同发展；现在我来为你们治疗，怎么样？”

他二人说：“希望先听听我们病的症状。”

扁鹊对公扈说：“你的心志刚强但气魄柔弱，所以善于谋略而缺乏决断。齐婴心志柔弱但气魄刚强，所以欠缺谋略而十分专断。如果把你们的心交换一下，那就都会很好了。”

扁鹊于是叫两人喝了具有麻醉作用的药酒，让他们昏迷了三天，他剖开两人的胸膛，取出心脏，交换以后又放了进去；而后给他们吃了神药，醒来以后一切和原来一样。两人告辞回家。

于是公扈回到了齐婴的家，并拥有他的妻子儿女，妻子儿女却不认识他；齐婴回到了公扈的家，占有他的妻子儿女，妻子儿女也不认识他。两家人因此打起了官司，求扁鹊来分辨缘由。扁鹊说明了此事发生的原因，官司才得以解决。

【原文】

匏巴[1]鼓琴而鸟舞鱼跃，郑师文闻之，弃家从师襄[2]游，柱指钧弦，三年不成章。师襄曰："子可以归矣。"

师文舍其琴，叹曰："文非弦之不能钧，非章之不能成。文所存者不在弦，所志者不在声。内不得于心，外不应于器，故不敢发手而动弦。且小[3]假[4]之，以观其后。"

无几何，复见师襄。

师襄曰："子之琴何如？"

师文曰："得之矣。请尝试之。"

于是当春而叩商弦以召南吕，凉风忽至，草木成实。及秋而叩角弦以激夹钟，温风徐回，草木发荣。当夏而叩羽弦以召黄钟，霜雪交下，川池暴沍[5]。及冬而叩徵弦以激蕤宾，阳光炽烈，坚冰立散。将终，命宫而总四弦，则景风翔，庆云浮，甘露降，澧泉[6]涌。

师襄乃抚心高蹈曰："微矣子之弹也！虽师旷之清角，邹衍之吹律，亡以加之。彼将挟琴执管而从子之后耳。"

【注释】

①匏（páo）巴：古代传说中善于鼓琴的人。②师襄：春秋时期鲁国乐师，善弹琴瑟。③小：通"少"，稍稍。④假：假以时日。⑤沍（hù）：冰冻。⑥澧泉：甜美的泉水。

【译文】

匏巴弹琴能使鸟儿飞舞、鱼儿跳跃。郑国的师文听说后，便离开了家，跟随鲁国的乐师师襄游学。他按指调弦，但学了三年也弹不好一支乐曲。师襄说："你可以回家了。"

师文放下琴，叹了口气说："我并不是不能调弦，也并不是弹不好乐曲，而是我的思虑没放在琴弦上，我的志趣也不在于乐声。心内不能专注，心外便不能与乐器相应，所以不敢放开手去拨动琴弦。姑且稍稍再给我一些时日，看看我以后的表现吧。”

没多久，师文又去见师襄。

师襄问：“你的琴弹得怎样了？”

师文说：“已经得心应手了。请让我试试吧。”

于是在春天里拨动了属于金音的商弦奏出了呼应八月的南吕乐律，凉爽的秋风忽然吹来，草木随之成熟并结出了果实。到了秋天，又拨动了属于木音的角弦奏出了呼应二月的夹钟乐律，温暖的春风慢慢回旋，草木随之发芽并开出了花朵。到了夏天，又拨动了属于水音的羽弦奏出了呼应十一月的黄钟乐律，这时霜雪交相降落，江河池塘突然都冰冻起来。到了冬天，又拨动了属于火音的徵弦奏出了呼应五月的蕤宾乐律，阳光炽热强烈，河上坚固的冰块立刻融化。弹奏将要结束，师文又拨动宫调，奏出了商、角、羽、徵四弦，于是和暖的南风回翔，吉祥的彩云飘荡，清新的雨露普降，甜美的泉水流淌。

师襄抚摸着心房，高兴地跳了起来，说：“你弹奏得太微妙了！即使是师旷弹奏的清角乐曲，邹衍吹奏的管乐声律，也不能超过你。他们将携着琴、拿着箫管跟在你后面向你请教了。”

【原文】

薛谭学讴于秦青[①]，未穷青之技，自谓尽之，遂辞归。秦青弗止，饯于郊衢[②]，抚节悲歌，声振林木，响遏行云。薛谭乃谢求反，终身不敢言归。

秦青顾谓其友曰：“昔韩娥东之齐，匮粮，过雍门，鬻歌[③]假[④]食。既去而余音绕梁欐，三日不绝，左右以其人弗去。过逆旅，逆旅人辱之。韩娥因曼声哀哭，一里老幼悲愁，垂涕相对，三日不食。遽而追之，娥还，复为曼声长歌，一里老幼喜跃抃[⑤]舞，弗能自禁，忘向之悲也。乃厚赂[⑥]发之。故雍门之人至今善歌哭，放娥之遗声。”

【注释】

①薛谭、秦青：二者皆为古代传说中秦国善于唱歌的人。②郊衢：城郊的

大路。③鬻歌：卖唱。④假：这里意为交换。⑤抃（biàn）：拍击。⑥厚赂：赠送丰厚的财物。

【译文】

薛谭向秦青学习唱歌，还没有把秦青的本领完全学到手，就自以为没有什么可学的了，于是告辞回家。秦青也不挽留，还在城郊的大路上为他饯行。席间拍打着竹子做的乐器唱着悲伤的歌曲，声音震彻树林，回响遏住了行云。薛谭这才认错并请求返回继续学习，终生不敢再提回家的事。

秦青回头对他的朋友说："过去韩娥往东到齐国去，粮食吃完了，经过雍门时，便靠着卖唱来交换食物。她走了以后，袅袅的余音还在屋梁间回荡，三天都没有停止，周围的人还以为她没有离开。韩娥经过旅馆时，旅馆里的人侮辱了她。于是韩娥拖长了声音悲哀地哭泣，乡里老人和小孩也都随之悲哀忧愁，相对流泪，三天没有吃饭。他们赶忙追赶她。韩娥回来后，又放声长歌，乡里老人和小孩全都欢喜雀跃地拍击着手跳起舞来，谁也不能自己停下来，都忘记了刚才的悲哀。然后大家赠送丰厚的财物送她回家去。所以雍门附近的人直到现在还善于唱歌和悲哭，那是在模仿韩娥留下来的声音啊！"

【原文】

伯牙善鼓琴，锺子期善听。伯牙鼓琴，志在登高山。锺子期曰："善哉！峨峨兮若泰山！"志在流水。锺子期曰："善哉！洋洋兮若江河！"伯牙所念，锺子期必得之。

伯牙游于泰山之阴，卒①逢暴雨，止于岩下；心悲，乃援琴而鼓之。初为霖雨②之操，更造崩山之音。曲每奏，锺子期辄穷其趣。伯牙乃舍琴而叹曰："善哉，善哉，子之听夫！志想象犹吾心也。吾于何逃声哉？"

【注释】

①卒：突然。②霖雨：连绵大雨。

【译文】

伯牙善于弹琴，锺子期善于听音。伯牙弹琴时，心里想着登临高山。锺子期说：“好啊！高大庄严像泰山一样！”心里想着流水，锺子期说：“好啊！浩浩荡荡像江河一样！”伯牙想到什么，锺子期一定能领会到。

伯牙在泰山北面游览，突然遇到暴雨，停在岩石下避雨；心中很是悲凉，于是拿起琴弹了起来。开始弹奏的声调犹如连绵的大雨，而后更是弹奏出了山崖崩裂一般的声音。每弹一曲，锺子期都能领会它的旨趣。伯牙于是放下琴感叹道：“太好了，太好了，你听琴的本领真是太高了！你的志趣和想象简直和我的心一样，我哪里能在琴音中逃遁自己的心声呢？”

【原文】

周穆王西巡狩，越昆仑，不至弇山[1]。反还，未及中国，道有献工人名偃师，穆王荐之，问曰：“若有何能？”

偃师曰：“臣唯命所试。然臣已有所造，愿王先观之。”

穆王曰：“日[2]以俱来，吾与若俱观之。”

越日偃师谒见王。王荐之，曰：“若与偕来者何人耶？”

对曰：“臣之所造能倡者。”

穆王惊视之，趣步俯仰，信人[3]也。巧夫镇[4]其颐，则歌合律；捧其手，则舞应节。千变万化，惟意所适。王以为实人也，与盛姬[5]内御并观之，技将终，倡者瞬其目而招王之左右侍妾。王大怒，立欲诛偃师。偃师大慑，立剖散倡者以示王，皆傅会革、木、胶、漆、白、黑、丹、青之所为。王谛料[6]之，内则肝、胆、心、肺、脾、肾、肠、胃，外则筋骨、支节、皮毛、齿发，皆假物也，而无不毕具者。合会复如初见。王试废其心，则口不能言；废其肝，则目不能视；废其肾，则足不能步。

穆王始悦而叹曰：“人之巧乃可与造化者同功乎？”诏贰车[7]载之以归。

夫班输之云梯，墨翟之飞鸢，自谓能之极也。弟子东门贾、禽滑釐闻偃师之巧以告二子，二子终身不敢语艺，而时执规矩。

【注释】

①弇（yǎn）山：这里指日落之处。②日：改日。③信人：真人。④锁（qīn）：压下。⑤盛姬：周穆王的宠姬。⑥谛料：仔细检查。⑦贰车：这里指随从车辆。

【译文】

周穆王到西部巡视狩猎，越过昆仑山，到达日落之处的弇山。返回时，尚未到达中原，在路上遇见一个自愿奉献技艺给周穆王的人，名叫偃师，穆王召见他，问道："你有什么才能？"

偃师说："我能按你的任何想法去做。但我已经造出了一件东西，希望大王先看一看。"

周穆王说："改日你把它带来，我们一块儿看看。"

过了一天，偃师又来拜见周穆王，周穆王召见了他，说："和你一道来的是什么人啊？"

偃师回答说："是我所造的能唱歌跳舞的人。"

穆王惊奇地注视着它，快跑、慢走、低头、仰首，完全和真人一样。更巧妙的是压下它的头，便会唱出符合乐律的歌；抬起它的手，便会跳起符合节拍的舞。千变万化，你想叫它干什么它就能干什么。周穆王以为是个真人，便叫盛姬及宫内的嫔妃一起来观看。表演快要结束的时候，那个会唱歌跳舞的人眨了眨眼睛勾引周穆王身边的嫔妃。周穆王非常生气，立刻想要杀掉偃师。偃师十分害怕，连忙剖开那唱歌跳舞的人让周穆王看，原来都是用皮革、木料、胶水、油漆、白粉、黑炭、丹砂、靛青等材料凑合起来的。周穆王仔细检查，体内的肝、胆、心、肺、脾、肾、肠、胃，体外的筋骨、四肢、骨节、皮肤、汗毛、牙齿、头发等，全是假的，但却没有不具备的。聚合起来又和一开始见到的一样。周穆王试探着拿走它的心，它的嘴就不会说话了；拿走它的肝，它的眼睛就看不见东西了；拿走它的肾，它的脚就不会走路了。

周穆王这才高兴地赞叹道："人的技巧竟然可以与自然造化具有相同的功能吗？"命令随从车辆载着偃师回国。

班输制造了云梯，墨翟制作了飞鸢，都自称技能已经登峰造极了。他们的弟子东门贾、禽滑釐听说了偃师的技巧，便告诉了两位老师。这两位终生再也不敢谈论自己的技艺，只有时时拿着做工用的规与矩研究。

【原文】

甘蝇，古之善射者，彀弓①而兽伏鸟下。弟子名飞卫，学射于甘蝇，而巧过其师。纪昌者，又学射于飞卫。

飞卫曰："尔先学不瞬，而后可言射矣。"

纪昌归，偃卧其妻之机下，以目承牵挺②。二年之后，虽锥末倒③眦，而不瞬也。以告飞卫。

飞卫曰："未也，必学视而后可。视小如大，视微如著，而后告我。"

昌以氂④悬虱于牖，南面而望之。旬日之间，寖⑤大也；三年之后，如车轮焉。以睹余物，皆丘山也。乃以燕角之弧、朔蓬之簳⑥射之，贯虱之心，而悬不绝。以告飞卫。

飞卫高蹈拊膺曰："汝得之矣！"

纪昌既尽卫之术，计天下之敌己者，一人而已；乃谋杀飞卫。相遇于野，二人交射；中路矢锋相触，而坠于地，而尘不扬。飞卫之矢先穷。纪昌遗一矢；既发，飞卫以棘刺之端扞⑦之，而无差焉。

于是二子泣而投弓，相拜于涂，请为父子。克⑧臂以誓，不得告术于人。

【注释】

①彀（gòu）弓：拉满弓弦。②牵挺：织布机上的踏脚板。③倒：通"到"。④氂（máo）：牦牛的毛。⑤寖（jìn）：渐渐地。⑥朔蓬之簳（gǎn）：用楚国的蓬草茎秆做成的箭。⑦扞（hàn）：捍卫，防卫。⑧克（kè）：通"刻"。

【译文】

甘蝇是古代很会射箭的人，只要他拉满弓弦，走兽便会趴下，飞鸟便会落地。他有个弟子叫飞卫，向甘蝇学习射箭，技巧超过了他的老师。又有一个叫纪昌的人，向飞卫学习射箭。

飞卫说："你先学习不眨眼的本领，然后才可以谈射箭的事。"

纪昌回家后，仰卧在他妻子的织布机下，眼睛追随着一上一下的踏脚板。两年以后，即使锥尖碰到眼眶，他也能够不眨眼。他把这个本领告诉了飞卫。

飞卫说："不行，还必须学会看东西，然后才可以学射箭。等你看小东西能像看大东西一样，看细微的东西能像看显著的东西一样，再来告诉我。"

纪昌就用一根牛毛系住一只虱子挂在窗子上，面朝南方注视这只虱子。十天之间，他所看到的虱子逐渐变大；到三年之后，就像车轮那么大了。再看别的东西，都像丘陵高山那么大了。于是他用燕国的牛角做的弓、楚国的蓬草茎秆做的箭去射那只虱子，一箭穿透了虱子的心脏，而挂虱子的牛毛却没有断。他又把这个本领报告了飞卫。

飞卫高高地跳起来拍着胸脯说："你已经掌握射箭的奥秘了！"

纪昌完全学到了飞卫的技艺之后，心想天下能够和自己相敌的，只有飞卫一个人了，于是阴谋杀害飞卫。有一次在野外相遇，两人互相对射；箭头在半道相撞，坠落到地上，却连尘土也没有被扬起来。飞卫的箭先射完了，纪昌还剩下一支；他射出这支箭后，飞卫用一根草刺的尖端去防卫，一点不差地挡住了箭。

于是两人流着眼泪扔掉了弓，在路上互相跪拜，请求结为父子。他们在手臂刻下标记，发誓永远不把射箭的绝技传给他人。

【原文】

造父之师曰泰豆氏[①]。造父之始从习御也，执礼甚卑，泰豆三年不告。造父执礼愈谨，乃告之曰："古诗言：'良弓之子，必先为箕；良冶之子，必先为裘。' 汝先观吾趣。趣如吾，然后六辔②可持，六马可御。"

造父曰："唯命所从。"

泰豆乃立木为涂，仅可容足；计步而置，履之而行。趣走往还，无跌失也。

造父学之，三日尽其巧。

泰豆叹曰："子何其敏也？得之捷乎！凡所御者，亦如此也。曩汝之行，得之于足，应之于心。推于御也，齐辑③乎辔衔之际，而急缓乎唇吻之和，正度乎胸臆之中，而执节乎掌握之间。内得于中心，而外合于马志，是故能进退履绳而旋曲中规矩，取道致远而气力有余，诚得其术也。得之于衔，应之于辔；得之于辔，应之于手；得之于手，应之于心。则不以目视，不以策驱；心闲体正，六辔不乱，而二十四蹄所投无差；回旋进退，莫不中节。然后舆轮之外可使无余辙，马蹄之外可使无余地。未尝觉山谷之崄，原隰④之夷，视之一也。吾术穷矣。汝其识之！"

【注释】

①泰豆氏：古代传说中擅长驾车的人。②辔（pèi）：缰绳。③辑：这里指马匹。④隰（xí）：低下的湿地。

【译文】

造父的老师叫泰豆氏，造父一开始跟随他学习驾车时，礼数十分恭敬谦卑，但泰豆氏三年里并没有传授他一点技术。造父持礼更加恭谨，泰豆这才告诉他说："古诗说：'要做制弓好手，一定要先学习做簸箕；要做打铁良匠，一定要先学习做皮衣。' 你先观察我如何疾步快步。等到能像我一样疾走了，那么就可以手持六条缰绳，驾驭六匹骏马了。"

造父说："一切听您的安排。"

于是，泰豆氏立起一排木桩作为道路，每根木桩上仅能容下一只脚；他算好步幅来放置这些木桩，然后踩在木桩上行走。只见他来回快跑，没有跌跤或是闪失。

造父学习三天后就完全掌握了这种技巧。

泰豆氏赞叹说："你怎么这么聪敏呀？掌握得如此迅速！但凡驾驭马车，也是这个道理。刚才你在木桩上走，落脚得当，与心相应。把这用到驾驭马车上，就要在缰绳和嚼子之间协调好马匹，并通过或轻或重的吆喝来掌握马匹奔驰的快慢，心中要有一定的分寸，手握缰绳，也要掌握一定的节奏。在内得之于心，在外合乎马群的意愿，所以才能进退如同踩着缰绳，而盘旋迂回都像遵循着规矩一样，即使跑到遥远的地方，马匹的力气也绰绰有余，这才算是掌握了驾车的技巧。马嚼子掌握好了，马缰绳就能与之相应；马缰绳掌握好了，执掌缰绳的手就能与之相应；手处置得当了，内心就能与之相应。这样就用不着眼睛看，用不着鞭子赶；心神安闲，身体端正，六根缰绳丝毫不乱，六匹马的二十四只马蹄起落无差；迂回盘旋、前进后退，无不合于节度。然后就可以在车轮之外不留下其他车辙；马蹄之外也不用更多的落脚地方。根本不觉得山谷是险峻的，原野湿地是平坦的，看上去完全一样。我的驾车技巧都在这里了，你好好记住吧！"

【原文】

魏黑卵以昵嫌杀丘邴章，丘邴章之子来丹谋报父之仇。

丹气甚猛，形甚露，计粒而食，顺风而趋。虽怒，不能称兵以报之。耻假力于人，誓手剑以屠黑卵。黑卵悍志绝众，力抗百夫。筋骨皮肉，非人类也。延颈承刀，披胸受矢，铓锷[①]摧屈，而体无痕挞。负其材力，视来丹犹雏鷇[②]也。

来丹之友申他[③]曰："子怨黑卵至矣，黑卵之易子过矣，将奚谋焉？"

来丹垂涕曰："愿子为我谋。"

申他曰："吾闻卫孔周其祖得殷帝之宝剑，一童子服之，却三军之众，奚不请焉？”

来丹遂适卫，见孔周，执仆御之礼，请先纳妻子，后言所欲。

孔周曰：“吾有三剑，唯子所择；皆不能杀人。且先言其状。一曰含光，视之不可见，运之不知有。其所触也，泯然无际，经物而物不觉。二曰承影，将旦昧爽之交，日夕昏明之际，北面而察之，淡淡焉若有物存，莫识其状。其所触也，窃窃然有声，经物而物不疾也。三曰宵练，方昼则见影而不见光，方夜见光而不见形。其触物也，騞然④而过，随过随合，觉疾而不血刃焉。此三宝者，传之十三世矣，而无施于事。匣而藏之，未尝启封。”

来丹曰：“虽然，吾必请其下者。”

孔周乃归其妻子，与斋七日。晏阴之间，跪而授其下剑，来丹再拜受之以归。

来丹遂执剑从黑卵，时黑卵之醉偃于牖下，自颈至腰三斩之，黑卵不觉。来丹以黑卵之死，趣而退。遇黑卵之子于门，击之三下，如投虚。黑卵之子方笑曰：“汝何蚩而三招予？”来丹知剑之不能杀人也，叹而归。

黑卵既醒，怒其妻曰：“醉而露我，使我嗌⑤疾而腰急。”

其子曰：“畴昔来丹之来，遇我于门，三招我，亦使我体疾而支强，彼其厌⑥我哉！”

【注释】

①铓（máng）：刀剑等的尖锋。锷（è）：剑刃。②雏㲉（kòu）：待哺的雏鸟。③申他（tuó）：人名。④騞（huō）然：快速的样子。⑤嗌（yì）：咽喉。⑥厌（yā）：厌胜。古代方士的一种巫术。

【译文】

魏国的黑卵因私怨杀死了丘邴章，丘邴章的儿子来丹准备为父亲报仇。

来丹胆气十分勇猛，身体却十分羸弱，数着米粒吃饭，顺着风才能走路。虽然怒火满腔，却不能举起武器去报仇。他耻于借用别人的力量，发誓要亲手用剑杀死黑卵。黑卵凶悍勇猛，力量超常，独自能抗击一百个敌手。筋骨皮肉，都和普通人不一样。他伸长颈项迎接刀砍，敞开胸脯接受箭击，竟然能使刀口卷曲，箭锋摧折，身上却没有一点伤痕。黑卵仗着自己的本领和力气，把来丹看作一只待哺的雏鸟。

来丹的朋友申他说："你怨恨黑卵到了极点，而黑卵也太轻视你了，你打算怎么办呢？"

来丹流着眼泪说："希望你替我想想办法。"

申他说："我听说卫国孔周的祖先得到了商代天子的宝剑，一个小孩佩带着它，就能打退三军将士，为什么不去向他请求帮助呢？"

于是来丹来到了卫国，拜见孔周，行最为谦恭的礼节，请求孔周先接受自己妻子儿女做抵押，然后才说出自己的要求。

孔周说："我有三把剑，任由你选择，但它们都不能杀死人，姑且先说说它们的情况。第一把剑叫含光，看上去见不到形状，挥动时觉不得它的存在。剑锋过处，毫无缝隙，刺过人的身体也不会有所察觉。第二把剑叫承影，在天色将亮未亮的黎明时分，或是光线或明或暗的黄昏，对着北面观察它，隐隐约约好像有什么东西存在，但也不能辨认它的形状。剑锋过处，发出轻微的声响，刺过人的身体也不会感到疼痛。第三把剑叫宵练，白天时只见影子而不见光芒，夜晚时只见光芒而不见影子。剑锋触物，迅速划过，伤口随即划裂随即愈合，虽然疼痛，剑上却不沾血迹。这三把剑，从祖上到现在已经传了十三世了，却从来没有使用过。放在匣子里珍藏着，未曾启封过。"

来丹说："即使是这样，我还是要借用最下等的那一把。"

于是孔周把他的妻子儿女还给了他，同他一起斋戒七天。在天气半晴半阴的时候，跪着将那把下等的剑授予来丹，来丹两次拜谢后接受了剑返回家中。

从此来丹便拿着剑跟踪黑卵。等到黑卵喝醉了酒仰面躺在窗下，来丹从颈项到腰间连斩了黑卵三剑。黑卵没有觉察。来丹以为黑卵死了，急忙离开。在门口却碰到了黑卵的儿子，于是又用剑砍了他三下，好像是砍到了虚空一样。黑卵的儿子笑着说："你傻乎乎地向我三次招手干什么？"来丹明白这剑真的杀不死人，哀叹着回了家。

黑卵醒来后，向他妻子发火说："你趁我喝醉时脱光了我的衣服，使我咽喉堵塞，腰也疼痛了。"

他儿子说："刚才来丹来过，在门口碰上了我，三次向我招手，也使我身体疼痛，四肢麻木。他大概对我们施了巫术吧！"

【原文】

周穆王大征西戎，西戎献锟铻之剑、火浣之布[1]。其剑长尺有咫[2]，练钢赤刃，用之切玉如切泥焉。火浣之布，浣之必投于火；布则火色，垢则布色，出火而振之，皓然疑乎雪。

皇子以为无此物，传之者妄。

萧叔曰："皇子果于自信，果于诬理哉！"

【注释】

①锟铻（kūn wú）：通"昆吾"，古剑名。火浣（huàn）之布：用火洗濯的布，即今所谓石棉布。②咫：古代长度单位，周制八寸为一咫。

【译文】

周穆王大举征伐西北方的戎族时，西戎曾贡献锟铻剑、火浣布。那剑长一尺八寸，钢质纯熟，刀刃红色，用它来切断玉石像切断泥土一样容易。火浣布，洗它的时候必须投入火中；布即成为火的颜色，而污垢则成为布的颜色，从火中把布取出抖动几下，白得就像雪花一般。

皇子认为世上没有这种东西，传说的人肯定是在胡言乱语。

萧叔说："皇子真的太自信了，太过诬蔑事物之理了！"

力命第六

【题解】

在本卷中，作者围绕人力与命运的矛盾关系，展开一系列的论证。

作者认为，命运是人力不可企及的，它看似虚无缥缈，无端无常，却与每个人的遭遇有着实实在在的关系。世间的人长寿还是短命，穷困还是显达，尊贵还是卑贱，贫寒还是富有，都由它来决定。与其希望凭借自己的小智下慧去揣摩天意，改变自己的运途，不如不忧、不待；安命、安心，则自然不会受外物纷扰而与天地同运。

【原文】

力谓命曰："若之功奚若我哉？"

命曰："汝奚功于物而欲比朕？"

力曰："寿夭、穷达、贵贱、贫富，我力之所能也。"

命曰："彭祖之智不出尧舜之上，而寿八百；颜渊之才不出众人之下，而寿十八。仲尼之德不出诸侯之下，而困于陈蔡；殷纣之行不出三仁[①]之上，而居君位。季札[②]无爵于吴，田恒专有齐国。夷、齐饿于首阳，季氏[③]富于展禽[④]。若是汝力之所能，奈何寿彼而夭此，穷圣而达逆，贱贤而贵愚，贫善而富恶邪？"

力曰："若如若言，我固无功于物，而物若此邪，此则若之所制邪？"

命曰："既谓之命，奈何有制之者邪？朕直而推之，曲而任之。自寿自夭，自穷自达，自贵自贱，自富自贫，朕岂能识之哉？朕岂能识之哉？"

【注释】

①三仁：三位古代仁者，指微子、箕子、比干。②季札：春秋时吴王诸樊之弟，贤而让位。③季氏：季孙氏，春秋后期掌握鲁国政权的贵族。④展禽：即柳下惠，春秋时鲁国大夫。

【译文】

人力对天命说："你的功劳怎么能和我相比呢？"

天命说："你对万物有什么功劳而要和我相比？"

人力说："长寿与短命，穷困与显达，尊贵与卑贱，贫苦与富有，都是我人力能够决定的。"

天命说："彭祖的智慧不在尧之上，却活到了八百岁；颜渊的才能不在一般人之下，却只活了十八岁。孔子的仁德不在各国诸侯之下，却被围困在陈国与蔡国之间；殷纣王的品行远不如微子、箕子、比干，却高居在国君的位置上。贤者季札在吴国没有官爵，富于心计的田恒却在齐国专权。伯夷和叔齐饿死在首阳山，鲁国的季氏却比柳下惠富有得多。如果说这是你人力所能做到的，为什么要使彭祖长寿而使颜渊短命，使圣人穷困而使贼人显达，使贤者卑贱而使愚人尊贵，使善人贫苦而使恶人富有呢？"

人力说："就算像你所说的那样，我原来对事物没有功劳，然而事物的实际状况如此，这难道是你主宰的结果吗？"

天命说："既然叫作天命，为什么要有主宰的人呢？我只不过是对顺利的事情推动一下，对曲折的事情听之任之罢了。世间一切人和事物都是自己长寿自己短命，自己穷困自己显达，自己尊贵自己卑贱，自己富有自己贫苦，我又怎么能知道呢？我又怎么能知道呢？"

【原文】

北宫子谓西门子曰："朕与子并世也，而人子达；并族也，而人子敬；并貌也，而人子爱；并言也，而人子庸①；并行也，而人子诚；并仕也，而人子贵；并农也，而人子富；并商也，而人子利。朕衣则裋褐②，食则粢粝③，居则蓬室，出则徒行。子衣则文锦，食则粱肉，居则连欐[④]，出则结驷。在家熙然有弃朕之心，在朝谔然[⑤]有敖朕之色。请谒不及相，遨游不同行，固有年矣。子自以德过朕邪？”

西门子曰：“予无以知其实。汝造事而穷，予造事而达，此厚薄之验欤？而皆谓与予并，汝之颜厚矣。”

北宫子无以应，自失而归。

中途遇东郭先生。先生曰：“汝奚往而反，偊偊[⑥]而步，有深愧之色邪？”北宫子言其状。东郭先生曰：“吾将舍汝之愧，与汝更之西门氏而问之。”

曰：“汝奚辱北宫子之深乎？固且言之。”

西门子曰：“北宫子言世族、年貌、言行与予并，而贱贵、贫富与予异。予语之曰：‘予无以知其实。汝造事而穷，予造事而达，此将厚薄之验欤？而皆谓与予并，汝之颜厚矣。’”

东郭先生曰：“汝之言厚薄不过言才德之差，吾之言厚薄异于是矣。夫北宫子厚于德，薄于命；汝厚于命，薄于德。汝之达，非智得也；北宫子之穷，非愚失也。皆天也，非人也。而汝以命厚自矜，北宫子以德厚自愧，皆不识夫固然之理矣。”

西门子曰：“先生止矣。予不敢复言。”

北宫子既归，衣其裋褐，有狐貉之温；进其茙菽[⑦]，有稻粱之味；庇其蓬室，若广厦之荫；乘其筚辂[⑧]，若文轩之饰。终身逌然[⑨]，不知荣辱之在彼也，在我也。

东郭先生闻之曰：“北宫子之寐久矣，一言而能寤，易悟也哉！”

【注释】

①庸：用。②裋（shù）褐：粗布衣服。③粢粝（zī lì）：粗糙的饭食。④连欐：高楼美屋。⑤谔（è）然：直言争辩，无所顾忌的样子。⑥偊偊（yǔ）：通“踽踽”，独行。⑦茙菽（róng shū）：大豆。⑧筚辂（bì lù）：柴车。⑨逌（yōu）然：悠然自得的样子。

【译文】

北宫子对西门子说："我和你生活在同一个时代，而别人却使你显达；同为一族，而别人却尊敬你；相貌也差不多，而别人却喜欢你；一样地言谈，而别人却重用你；一样地做事，而别人却信任你；一样地做官，而别人却让你显贵；一样地种田，而别人却使你富裕；一样地经商，而别人却让你获利。我穿的是粗布衣服，吃的是粗糙的饭菜，住的是茅草屋，外出只能步行。你穿的是绣着花纹的丝绸衣服，吃的是精美的饭菜，住的是高大华丽的房屋，外出还有四驾的马车。在家中，你嬉戏欢笑有冷落我的念头；在朝廷上，你无所顾忌，有轻慢我的神色。请客拜访没有我的份，外出游玩不和我同行，已经有好多年了。你自以为仁德超过了我吗？"

西门子说："我无法知道这其中的真实原因。你做事总遇困难，我做事总是顺利，这不就是厚薄不同的证明吗？你却认为什么都和我一样，你的脸皮也太厚了。"

北宫子无法回答，失魂落魄地回去了。

半路上碰到了东郭先生。东郭先生问："你是从哪里回来，独自行走，且面带深深的惭愧神色呢？"

北宫子说了上述情况。东郭先生说："我可以消除你的惭愧，和你再到西门氏家去问问他。"

东郭先生问西门子说："你为什么要那么过分地侮辱北宫子呢？姑且说说其中的原因吧。"

西门子说："北宫子讲他的世代、宗族、年龄、相貌、言论、做事都与我相同，而低贱与尊贵、贫苦与富有却与我不一样。我对他说：'我无法知道这其中的真实原因。你做事总遇困难，我做事总是顺利，这恐怕是厚薄不同的证明吧？你却认为什么都跟我都一样，你的脸皮也太厚了。'"

东郭先生说："你所讲的厚薄不过是说才能和仁德的差别，我所讲的厚薄与此不同。北宫子的仁德醇厚，却命运低贱；你的命运亨通，却仁德卑下。你的显达，不是凭智慧得到的；北宫子的穷困，也不是愚昧带来的过失。这都是天命，而不是人力所致。而你却凭着命运亨通在那里自鸣得意，北宫子又怀抱醇厚的仁德在这里自觉惭愧，都是没有认识到自然的道理。”

西门子说：“先生不要讲了，我不敢再说了。”

北宫子回家以后，穿着他的粗布衣服，觉得像狐貉裘毛那样温暖；吃着他的粗粮大豆，觉得像精美饭菜一样美味；住他的茅草屋，像是有高楼大厦的荫庇；坐着他的柴车，像是有华丽雕饰的高大马车。他终生舒适自得，不知道荣耀和耻辱在别人那里还是在自己这里。

东郭先生听到后说：“北宫子已经糊涂很久了，听我一言便能清醒，真是容易醒悟啊！”

【原文】

管夷吾、鲍叔牙二人相友甚戚，同处于齐。管夷吾事公子纠，鲍叔牙事公子小白。

齐公族多宠，嫡庶并行。国人惧乱，管仲与召忽奉公子纠奔鲁，鲍叔奉公子小白奔莒。既而公孙无知作乱，齐无君，二公子争入。管夷吾与小白战于莒，道射中小白带钩①。

小白既立，胁鲁杀子纠，召忽死之，管夷吾被囚。

鲍叔牙谓桓公曰：“管夷吾能，可以治国。”

桓公曰：“我仇也，愿杀之。”

鲍叔牙曰：“吾闻贤君无私怨，且人能为其主，亦必能为人君。如欲霸王，非夷吾其弗可。君必舍之！”遂召管仲。

鲁归之齐，鲍叔牙郊迎，释其囚。桓公礼之，而位于高、国②之上，鲍叔牙以身下之，任以国政，号曰仲父。桓公遂霸。

管仲尝叹曰：“吾少穷困时，尝与鲍叔贾，分财多自与；鲍叔不以我为贪，知我贫也。吾尝为鲍叔谋事而大穷困，鲍叔不以我为愚，知时有利不利也。吾尝三仕，三见逐于君，鲍叔不以我为不肖，知我不遭时也。吾尝三战三北③，鲍叔不以我为怯，知我有老母也。公子纠败，召忽死之，吾幽囚受辱，鲍叔不以我为无耻，知我不羞小节而耻名不显于天下也。生我者父母，知我者鲍叔也！”

此世称管、鲍善交者，小白善用能者。

然实无善交，实无用能也。实无善交实无用能者，非更有善交，更有善用能也。召忽非能死，不得不死；鲍叔非能举贤，不得不举；小白非能用仇，不得不用。

及管夷吾有病，小白问之，曰：“仲父之病病矣，可不讳。云至于大病④，则寡人恶乎属国而可？”

夷吾曰：“公谁欲欤？”

小白曰：“鲍叔牙可。”

曰：“不可。其为人也，洁廉善士也，其于不己若者不比之人，一闻人之过，终身不忘。使之理国，上且钩⑤乎君，下且逆乎民。其得罪于君也，将弗久矣。”

小白曰：“然则孰可？”

对曰：“勿已，则隰朋可。其为人也，上忘而下不叛，愧其不若黄帝而哀不己若者。以德分人谓之圣人，以财分人谓之贤人。以贤临人，未有得人者也；以贤下人者，未有不得人者也。其于国有不闻也，其于家有不见也。勿已，则隰朋可。”

然则管夷吾非薄鲍叔也，不得不薄；非厚隰朋也，不得不厚。厚之于始，或薄之于终；薄之于终，或厚之于始。厚薄之去来，弗由我也。

【注释】

①带钩：衣带上的金属小钩。②高、国：皆为齐国世族。③北：败北，败逃。④大病：死。这里是婉辞。⑤钩：违逆。

【译文】

管夷吾、鲍叔牙两人相交为友关系亲近，都在齐国做事。管夷吾侍奉公子纠，鲍叔牙帮助公子小白。

当时齐国公族子弟被国君宠爱的很多，嫡系和庶系没有区别。齐国人害怕因此发生动乱，于是管仲与召忽帮助公子纠逃到了鲁国，鲍叔牙帮助公子小白逃到了莒国。后来公孙无知发动兵乱，齐国没有君主，两位公子争先回国。管夷吾与公子小白在莒国境内交战，路途中射中了公子小白的衣带钩。

公子小白立为齐桓公以后，胁迫鲁国杀死了公子纠，召忽也被迫自杀，管夷吾则被囚禁。

鲍叔牙对桓公说："管夷吾很能干，可以用他来治理国家。"

齐桓公说："他是我的仇人，我要杀了他。"

鲍叔牙说："我听说贤明的君主没有个人的仇怨，而且一个人能尽力为主人做事，也一定能尽力为国君做事。您如果想称霸为王，非管夷吾辅佐不可。请您一定赦免他！"齐桓公于是召管仲回国。

鲁国把他送回齐国，鲍叔牙亲自到郊外迎接，解除了他的桎梏。齐桓公用隆重的礼节对待他，让他的地位在高、国两家世族之上，鲍叔牙也身居管仲之下。齐桓公将国政委任于他，称他为"仲父"。齐桓公由此称霸于诸侯。

管仲曾感叹说："我年轻时贫穷困顿，曾经与鲍叔一道做买卖，分配钱财时总是多给自己；鲍叔不认为是我贪婪，因为他知道我贫穷。我曾替鲍叔谋划事业而遭遇挫折，鲍叔不认为是我愚笨，因为他知道时机有时顺利有时不顺利。我曾三次做官，三次被国君驱逐，鲍叔不认为是我没出息，因为他知道我没有碰到好机会。我曾三次作战三次败逃，鲍叔不认为是我怯弱，因为他知道我家里还有老母亲。公子纠失败了，召忽自杀了，我却被幽禁在牢中甘受屈辱；鲍叔不认为是我没有廉耻，因为他知道我不在乎小节而以不能扬名于天下为耻辱。生我的人是父母，了解我的人是鲍叔。"

这是人们称道的管、鲍善于结交朋友的事，小白善于任用能人的事。

然而实际上无所谓善于结交朋友，也无所谓善于任用能人。说他们实际上无所谓善于结交朋友，也无所谓善于任用能人，并不是说世上有比他们更善于结交朋友，更善于任用能人的事。而是说召忽并非能自杀，而是不得不自杀；鲍叔并非能够推举贤能，而是不得不推举贤能；小白并非能够任用仇人，而是不得不任用仇人。

到管夷吾生了重病的时候，小白问他，说："仲父的病已经很重了，我也不用再避讳你什么了。如果你的病治不好死去，那我把国家政事交给谁呢？"

管夷吾问："您想交给谁呢？"

小白说："鲍叔牙可以。"

管仲说："不行。他的为人，洁身自好，廉洁奉公，的确是个贤善之人。但他对于德行才能不如自己的人就不去亲近，一听到别人的过错，终生也不会忘记。用他来治理国家，对上会违逆国君，在下会违背民意。他得罪国君的日子，也就不会太久了。"

小白问："那么谁行呢？"

管仲回答说："不得已的话，隰朋可以。他的为人，能使在上的人忘掉自己，在下的人不叛离自己。对于自己不如黄帝而感到惭愧，对于别人不如自己表示同情。以仁德感化他人的叫作圣人，用钱财接济他人的叫作贤人。以为自己贤能而瞧不起别人的人，没有能得到别人拥护的；自己虽贤能而能尊重别人的人，没有得不到别人拥护的。他对于国事有所不闻，对于家事也有所不见。不得已的话，隰朋还可以。"

可见管夷吾并不是要轻视鲍叔，而是不得不轻视他；并不是要重视隰朋，而是不得不重视他。开始时重视，有可能后来要轻视；开始时轻视，有可能后来要重视。重视与轻视的转化，并不由自己。

【原文】

邓析操两可之说，设无穷之辞，当子产[1]执政，作《竹刑》[②]。郑国用之，数难子产之治，子产屈之。子产执而戮[③]之，俄而诛之。

然则子产非能用《竹刑》，不得不用；邓析非能屈子产，不得不屈；子产非能诛邓析，不得不诛也。

【注释】

①子产：春秋时郑国执政。②《竹刑》：子产铸刑鼎后三十余年，邓析根据当时的新情况，改订原有刑法，刻于竹简，史称《竹刑》。③戮（lù）：羞辱。

【译文】

邓析持模棱两可的学说，创设没有结果的诡辩辞令，在子产执政的时候，作了一部写在竹简上的法律《竹刑》。郑国使用它，多次使子产的政事推行困难，子产只能屈服。于是子产便把邓析抓了起来，并当众羞辱他，不久就杀了他。

可见子产并非乐意使用《竹刑》，而是不得不用它；邓析并非能够使子产屈服，而是不得不使他屈服；子产并非有意诛杀邓析，而是不得不诛杀他。

【原文】

可以生而生，天福也；可以死而死，天福也。可以生而不生，天罚也；可以死而不死，天罚也。可以生，可以死，得生得死有矣；不可以生，不可以死，或死或生，有矣。然而生生死死，非物非我，皆命也，智之所无奈何。故曰，窈然[①]无际，天道自会；漠然无分，天道自运。天地不能犯，圣智不能干，鬼魅不能欺。自然者，默之成之，平之宁之，将之迎之。

【注释】

①窈然：幽远的样子。

【译文】

应该出生便出生了，这是上天赐予的福分；应该死亡便死亡了，这也是上天赐予的福分。应该出生却没有出生，这是上天给予的惩罚；应该死亡却没有死亡，这也是上天给予的惩罚。应该出生的，应该死亡的，得到相应的出生和死亡，这种情形是有的；

不应该出生的，不应该死亡的，却不相应地死亡或出生，这种情形也是有的。但是出生也好，死亡也好，既不是外物的作用，也不是自己的意愿，而都是命运决定的。人们的智慧对它是无可奈何的。所以说，幽远深邃没有边际，天道是自然会聚的；寂静淡漠没有界限，天道是自然运动的。天地不能侵犯它，圣人智者不能干扰它，鬼怪幽灵不能欺骗它。自然的天道，无声无息就形成了，在平和安宁中无所作为，在迎来送往中顺应万物。

【原文】

杨朱之友曰季梁。季梁得病，七日大渐①。其子环而泣之，请医。季梁谓杨朱曰："吾子不肖如此之甚，汝奚不为我歌以晓之？"

杨朱歌曰："天其弗识，人胡能觉？匪祐自天，弗孽由人。我乎汝乎！其弗知乎！医乎巫乎！其知之乎？"

其子弗晓，终谒三医。一曰矫氏，二曰俞氏，三曰卢氏，诊其所疾。

矫氏谓季梁曰："汝寒温不节，虚实失度，病由饥饱色欲。精虑烦散，非天非鬼。虽惭，可攻也。"

季梁曰："众医②也，亟屏③之！"

俞氏曰："女始则胎气不足，乳湩④有余。病非一朝一夕之故，其所由来渐矣，弗可已也。"

季梁曰："良医也。且食之！"

卢氏曰："汝疾不由天，亦不由人，亦不由鬼。禀生受形，既有制之者矣，亦有知之者矣。药石其如汝何？"

季梁曰："神医也。重贶⑤遣之！"

俄而季梁之疾自瘳⑥。

【注释】

①渐：加剧，恶化。②众医：庸医。③屏：驱逐，赶走。④湩（dòng）：乳汁。⑤贶（kuàng）：赏赐，赠送。⑥瘳（chōu）：病愈。

【译文】

杨朱的一个朋友叫季梁。季梁生病，至第七日病情急剧恶化。他的儿子们围绕着他哭泣，请医生医治。季梁对杨朱说：“我的儿子们不懂事到了这样厉害的程度，你为什么不替我唱个歌使他们明白过来呢？”

杨朱唱道：“天尚且不知道，人又怎么能明白？福佑并不来自上天，罪孽也并不来自人为。我呀你呀，都不知道啊！医生呀巫师呀，难道知道吗？”

季梁的儿子们还是不明白，最后请来了三位医生。一位姓矫，一位姓俞，一位姓卢，来诊治他所得的疾病。

姓矫的医生对季梁说：“你体内的寒气与热气不调和，虚与实越过了限度，你的这个病是由于时饥时饱和色欲过度引起的。精神思虑繁杂散漫，不是天的原因，也不是鬼的原因。病情虽然危重，但仍然可以治疗。”

季梁说：“这是庸医。快赶走他！”

姓俞的医生说：“你先天就胎气不足，乳汁又喝得太多。这病不是一朝一夕所致，而是逐渐加剧的，已经治不好了。”

季梁说：“这是一位好医生。暂且请他吃顿饭吧！”

姓卢的医生说：“你的病不是由于天，不是由于人，也不是由于鬼，从你禀受生命之气而成形的那一天起，就既有控制你命运的，又有知道你命运的。药物针砭又能对你起什么作用呢？”

季梁说：“这是一位神医，重重地赏赐他！”

不久季梁的病就自行痊愈了。

【原文】

生非贵之所能存，身非爱之所能厚；生亦非贱之所能夭，身亦非轻之所能薄。故贵之或不生，贱之或不死；爱之或不厚，轻之或不薄。此似反也，非反也；此自生自死，自厚自薄。或贵之而生，或贱之而死；或爱之而厚，或轻之而薄。此似顺也，非顺也；此亦自生自死，自厚自薄。

鬻熊[1]语文王曰："自长非所增，自短非所损，算之所亡若何？"老聃语关尹曰："天之所恶，孰知其故？"言迎天意，揣利害，不如其已。

【注释】

①鬻（yù）熊：周文王的老师，相传为楚国的祖先。

【译文】

生命不是因为珍惜它就可以长久，身体不是因为爱护它就可以壮实；生命也不是因为轻贱它就会夭折，身体也不是因为轻视它就会孱弱。所以对生命珍视也许就不能存活，对生命轻贱也许就不会死亡；对身体爱惜也许就不能壮实，对身体轻视也许就不会孱弱。这似乎是反常的，其实并不反常；因为它们是自然的生自然的死，自然的壮实，自然的孱弱。也许对生命重视而得以存活，也许对生命轻贱而导致死亡；也许对身体爱惜而得以壮实，也许对身体轻贱而导致孱弱。这看起来似乎是互相顺应的，其实并不互相顺应；它们也只是自然的生自然的死，自然的壮实自然的孱弱。

鬻熊对周文王说："自然要变长的不是因为外力的增加，自然要变短的不是因为外力的减损。人的智慧对于生命又有什么办法呢？"老子对关尹说："天所厌恶的，谁知道是出于什么缘故呢？"这句话说的是与其迎合天意，揣摩利害，不如趁早停止。

【原文】

杨布问曰："有人于此，年兄弟也，言[1]兄弟也，才兄弟也，貌兄弟也；而寿夭父子也，贵贱父子也，名誉父子也，爱憎父子也。吾惑之。"

杨子曰："古之人有言，吾尝识之，将以告若。不知所以然而然，命也。今昏昏昧昧，纷纷若若，随所为，随所不为。日去日来，孰能知其故？皆命也夫。信命者，亡寿夭；信理者，亡是非；信心者，亡逆顺；信性者，亡安危。则谓之都亡所信，都亡所不信。真矣悫[2]矣，奚去奚就？奚哀奚乐？奚为奚不为？黄帝之书云：'至人居若死，动若械③。'亦不知所以居，亦不知所以不居；亦不知所以动，亦不知所以不动。亦不以众人之观易其情貌，亦不谓众人之不观不易其情貌。独往独来，独出独入，孰能碍之？"

【注释】

①言：资历。②悫（què）：诚实。③动若械：行动如同木偶一样。

【译文】

杨布问他的哥哥杨朱说："这里有两个人，年龄差不多，资历差不多，才能差不多，相貌差不多；而长寿与早夭大不相同，尊贵与低贱大不相同，名分与荣誉大不相同，喜爱与憎恶大不相同。我很不理解。"

杨朱说："古时候的人有句话，我曾把它记了下来，现在拿来告诉你。不知道为什么这样而这样的，这是命运。如今的世道一切都糊里糊涂，纷杂混乱，有的去做了，有的没有去做。一天天过去，一天天到来，谁能知道其中的缘故？这都是命运啊！相信命运的人，无所谓长寿与夭亡；相信自然之理的人，无所谓对与错；相信内心的人，无所谓困难与顺利；相信本性的，无所谓安全与危险。这就叫作都没有什么可相信的，又都没有什么可不相信的。真实呀，诚实呀，去了哪里，又回到了哪里？悲哀什么，高兴什么？做什么，不做什么？《黄帝书》说：'德性最高的人静坐下来如同死了一样，行动起来如同木偶一样。'也不知道为什么坐，也不知道为什么不坐；也不知道为什么行动，也不知道为什么不动。也不因为大家都来观看而改变情态与形貌，也不因为大家都不来观看而不改变他的情态与形貌。独自去，独自来，独自出，独自入，谁能阻碍他？"

【原文】

墨杘①、单至②、啴咺③、憋懯④四人相与游于世，胥⑤如志也；穷年不相知情，自以智之深也。

巧佞、愚直、婩斫⑥、便辟⑦四人相与游于世，胥如志也；

穷年而不相语术，自以巧之微也。

獶伢[8]、情露、謇极[9]、凌谇[10]四人相与游于世，胥如志也；穷年不相晓悟，自以为才之得也。

眠娗[11]、諈诿[12]、勇敢、怯疑四人相与游于世，胥如志也；穷年不相谪发，自以行无戾也。

多偶、自专、乘权、只立四人相与游于世，胥如志也；穷年不相顾眄，自以时之适也。

此众态也。其貌不一，而咸之于道，命所归也。

【注释】

①墨尿（méi chì）：内心奸滑佯装愚蠢的样子。②单（zhàn）至：轻举妄动的样子。③啴咺（chǎn xuān）：迂阔和缓的样子。④憋懯（fū）：匆忙的样子。⑤胥：全，都。⑥婘斫（àn zhuó）：懵懂不悟的样子。⑦便（pián）辟：左右逢迎的样子。⑧獶伢（qiāo qiā）：哀怨郁结于心而不肯说出来的样子。⑨謇（jiǎn）极：口吃而急躁的样子。⑩凌谇（suì）：喜欢辱骂别人的样子。⑪眠娗（tiǎn）：羞怯而不开明的样子。⑫諈诿（zhuì wěi）：繁重不堪。

【译文】

内心狡诈却又佯装愚蠢的墨尿、轻举妄动的单至、迂阔缓慢的啴咺、急速匆忙的憋懯，这四个人同时在世上游荡，全都称心如意；整年不互相通报情况，自以为智慧十分深湛。

巧言佞色的巧佞、质朴憨厚的愚直、懵懂不悟的婘斫、逢迎周旋的便辟，这四个人同时在世上游荡，全都称心如意；整年不互相探讨道术，自以为技巧十分精微。

哀怨郁结于心而不肯吐露的獶伢、心事不藏的情露、口吃性急的謇极、动辄谩骂的凌谇，这四个人同时在世上游荡，全都称心如意；整年不互相启迪开悟，自以为才华十分卓越。

羞涩腼腆的眠娗、不堪重任的諈诿、英勇果敢的勇敢、胆怯犹豫的怯疑，这四个人同时在世上游荡，全都称心如意；整年不互相批评启发，自以为行为没有一点差错。

随和谦逊的多偶、独断专行的自专、趋炎附势的乘权、孤芳自赏的只立，这四个人同时在世上游荡，全都称心如意；整年不互相检查回顾，自以为一切都合乎时宜。

这就是大千世界的众生相。他们的面貌虽然不一样，却都符合自然之道，这是命运的安排。

【原文】

佹佹[1]成者，俏[2]成也，初非成也。佹佹败者，俏败者也，初非败也。故迷生于俏，俏之际昧然。于俏而不昧然，则不骇外祸，不喜内福；随时动，随时止，智不能知也。信命者于彼我无二心。于彼我而有二心者，不若掩目塞耳，背坂[3]面隍亦不坠仆也。故曰：死生自命也，贫穷自时也。怨夭折者，不知命者也；怨贫穷者，不知时者也。当死不惧，在穷不戚，知命安时也。其使多智之人量利害，料虚实，度人情，得亦中，亡亦中。其少智之人不量利害，不料虚实，不度人情，得亦中，亡亦中。量与不量，料与不料，度与不度，奚以异？唯亡所量，亡所不量，则全而亡丧。亦非知全，亦非知丧，自全也，自亡也，自丧也。

【注释】

①佹佹（guǐ）：几乎，将近。②俏：通“肖”，看似。③坂（bǎn）：山坡。这里指城墙。

【译文】

几乎就要成功了，看似成功，实际上并没有成功。几乎就要失败了，看似失败，实际上并没有失败。所以迷惑产生于相似，在相似的边界上事物变得蒙昧不清，难以分辨。假如能不迷惑于相似性，就不会惊骇于外来的灾祸，不欣喜于内在的福分；顺应时势而行动，顺应时势而停止，单凭聪明才智是无法明白的。相信命运的人对于外物与自身没有不同的心情。对于外物与自身有不同心情的人，不如捂住眼睛、塞住耳朵，这样背对着城墙，面朝城壕也不会坠落下来。所以说：死亡与生存来自命运，贫苦与穷困来自时势。埋怨短命夭亡的人，是不懂得命运的人；埋怨贫苦穷困的人，是不懂得时势的人。面对死亡不恐惧，身居穷困不悲伤，这是懂得命运安于时势的人。如果叫足智多谋的人衡量利害，预料虚实，揣度人情，他行事正确的有一半，错误的有一半。那些缺智少谋的人不衡量利害，不预料虚实，不揣度人情，他行事正确的也是一半，错误的也是一半。这样看来，衡量与不衡量，预料与不预料，揣度与不揣度，又有什么差别呢？只有对什么都不去估量，又无所不估量，才能保全本性而无所丧失。并不是凭着认知得以保全，也不是因为认知导致丧失，一切都是自然而然地保全，自然而然地消亡，自然而然地丧失。

【原文】

齐景公游于牛山，北临其国城而流涕曰："美哉国乎！郁郁芊芊，若何滴滴①去此国而死乎？使古无死者，寡人将去斯而之何？"

史孔、梁丘据②皆从而泣曰："臣赖君之赐，疏食恶肉可得而食，驽马棱车可得而乘也，且犹不欲死，而况吾君乎！"

晏子独笑于旁。

公雪涕而顾晏子曰："寡人今日之游悲，孔与据皆从寡人而泣，子之独笑，何也？"

晏子对曰："使贤者常守之，则太公、桓公将常守之矣；使有勇者而常守之，则庄公、灵公将常守之矣。数君者将守之，吾君方将被蓑笠而立乎畎亩③之中，唯事④之恤，行假念死乎？则吾君又安得此位而立焉？以其迭处之迭去之，至于君也，而独为之流涕，是不仁也。见不仁之君，见谄谀之臣。臣见此二者，臣之所为独窃笑也。"

景公惭焉，举觞⑤自罚。罚二臣者各二觞焉。

【注释】

①滴滴：这里指生命匆匆流逝。②史孔、梁丘据：两人同为齐景公的大臣。③畎（quǎn）亩：田地。④事：这里指耕耘等农事。⑤觞（shāng）：古代喝酒的器皿。

【译文】

齐景公在牛山游览时，向北眺望他的国都临淄城继而感慨流泪说："真美啊我的国都！草木浓密茂盛，可为什么生命匆匆流逝，我终将要离开这个国都孤独地死去呢？假使自古以来就没有死亡，我难道还会离开这里到别的地方去吗？"

史孔和梁丘据两位大臣都跟着齐景公垂泪说："我们依靠国君的恩赐，有粗陋的饭食可以吃，有劣马陋车可以乘，尚且还不想死，又何况我们的国君呢！"

晏子一个人在旁边发笑。

景公擦干眼泪回过头来对晏子说："我今天登临游览，触景伤悲，史孔和梁丘据都跟着我流泪，你却一个人发笑，为什么呢？"

晏子回答说："假使贤明的君主能够长久地统治自己的国家，那么太公、桓公就会长久地统治这个国家；假使勇敢的君主能够长久地统治自己的国家，那么庄公、灵公就会长久地统治这个国家。如果这几个君主永远统治着这个国家，那您现在就只能披着蓑衣、戴着斗笠站在田地之中，一心只会为耕耘这样的农事担忧，哪还有闲暇想到死呢？而且您又怎么能继承国君的位置而成为国君呢？就是因为历代国君相继登基又相继逝世，才轮到了您，您却单单为自己的生死而落泪，这是没有仁义的表现。我看到了不仁不义的君主，又看到了阿谀奉承的大臣。我看到了这两种人，所以一个人私下发笑。"

景公觉得惭愧，举起酒杯自己罚自己喝酒。也罚了史孔、梁丘据各两杯酒。

【原文】

魏人有东门吴者，其子死而不忧。

其相室[①]曰："公之爱子，天下无有。今子死不忧，何也？"

东门吴曰："吾常[②]无子，无子之时不忧。今子死，乃与向无子同，臣奚忧焉？"

【注释】

①相室：管家。②常：通“尝”，曾经。

【译文】

魏国有个叫东门吴的人，他儿子死了却不忧愁。

他的管家说：“您对儿子的怜爱，天下是找不到的。现在儿子死了，您却不忧愁，为什么呢？”

东门吴说：“我曾经没有儿子，没有儿子的时候并不忧愁。如今儿子死了，就和过去没有儿子的时候一样，我有什么可忧愁的呢？”

【原文】

农赴时，商趣[1]利，工追术，仕逐势，势使然也。然农有水旱，商有得失，工有成败，仕有遇否[2]，命使然也。

【注释】

①趣（qū）：追逐。②否（pǐ）：这里指逆境。

【译文】

农民抢赶时令，商人追逐利益，工匠讲究技术，官吏争夺权势，这是情势使他们这样做的。但农民有水旱之灾，商人有得失之时，做工有成功与失败之别，当官也有顺逆之境，这是命运使他们这样的。

杨朱第七

【题解】

《杨朱》，又名《达生》。本卷中，作者借杨朱之口，阐释名实之间的关系。在作者看来，名实两者是分离的，名不一定符合实，实也不一定依附于名，在不公平的世界中，只有死亡才能够消解因名实不符而产生的贵贱等差。

生而为人，面对飘忽不定的短暂人生，唯一能把握的就是当生之乐，亦即人们能触摸享用到的美味、华服、声乐、好色、犬马等。但作者并非标榜肆意妄为、脱离伦理纲常的贪得无厌，而是一切的享乐应当源自本性的欲求，而非去追求造作虚伪、为利禄所累的生活。

任性旷达，乐生安逸，才是悟道真人。

【原文】

杨朱游于鲁，舍①于孟氏。

孟氏问曰："人而已矣，奚以名为？"

曰："以名者为富。"

"既富矣，奚不已焉？"

曰："为贵。"

"既贵矣，奚不已焉？"

曰："为死。"

"既死矣，奚为焉？"

曰："为子孙。"

"名奚益于子孙？"

曰："名乃苦其身，燋②其心。乘其名者，泽及宗族，利兼乡党，况子孙乎？"

"凡为名者必廉，廉斯贫；为名者必让，让斯贱。"

曰："管仲之相齐也，君淫亦淫，君奢亦奢。志合言从，道行国霸。死之后，管氏而已。田氏之相齐也，君盈则己降，君敛则己施，民皆归之，因有齐国；子孙享之，至今不绝。"

"若实名贫，伪名富。"

曰："实无名，名无实。名者，伪而已矣。昔者尧舜伪以天下让许由、善卷③，而不失天下，享祚百年。伯夷、叔齐实以孤竹君让而终亡其国，饿死于首阳之山。实伪之辩④，如此其省⑤也。"

【注释】

①舍：住宿。②燋：同"灼"，烧灼。③善卷：古代隐者。④辩：通"辨"，辨别，分别。⑤省（xǐng）：明白，清楚。

【译文】

杨朱在鲁国游历，住宿在孟氏家中。

孟氏问他："做人就可以了，为什么还要名声呢？"

杨朱回答说："靠着名声去发财。"

孟氏又问："已经富了，为什么还不停止呢？"

杨朱说："为了获得尊贵的地位。"

孟氏又问："已经获得尊贵的地位了，为什么还不停止呢？"

杨朱说："为了死后丧事的荣耀。"

孟氏又问："已经死了，还为什么呢？"

杨朱说："为了子孙后代。"

孟氏又问："名声对子孙后代有什么好处？"

杨朱说："名声使身体劳苦、心念烧灼。凭借着名声，他的好处可以及于宗族，利益可以遍施乡里；更何况自己的子孙后代呢？"

孟氏说："凡是追求名声的人必须廉洁，廉洁就会贫穷；凡是追求名声的人必须谦让，谦让就会卑贱。"

杨朱说："管仲当齐国国相的时候，国君淫乱，他也淫乱，国君奢侈，他也奢侈。意志与国君相合，言论与国君相从，他的治国之道才得以顺利实行，齐国也才能在诸侯中成为霸主。死了以后，管氏家族不过了了。田氏当齐国国相的时候，国君骄盈，他便谦逊；国君敛财，他便施舍。老百姓都归向于他，他因而占有了齐国；子子孙孙享用着他带来的福泽，至今没有断绝。

孟氏说："像这样的话，那么真实的名声会使人贫穷，虚假的名声会使人富贵。"

杨朱说："真实的人没有名声，有名声的人不真实。名声这东西实际上是虚伪的。过去尧舜虚伪地把天下让给许由、善卷，而实际上并没有失去天下，享受国祚达一百年之久。伯夷、叔齐真心实意地把孤竹国君位让了出来而终于失掉了国家，饿死在首阳山上。真实与虚伪的分别，就是这样明白。"

【原文】

杨朱曰："百年，寿之大齐①。得百年者千无一焉。设有一者，孩抱以逮昏老，几居其半矣。夜眠之所弭，昼觉之所遗，又几居其半矣。痛疾哀苦，亡失忧惧，又几居其半矣。量十数年之中，逌然②而自得亡介焉之虑者，亦亡一时之中尔。则人之生也奚为哉？奚乐哉？为美厚尔，为声色尔，而美厚复不可常厌③足，声色不可常玩闻。乃复为刑赏之所禁劝，名法之所进退；遑遑尔竞一时之虚誉，规死后之余荣；偶偶尔顺耳目之观听，惜身意之是非；徒失当年之至乐，不能自肆于一时。重囚累梏，何以异哉？太古之人知生之暂来，知死之暂住；故从心而动，不违自然所好；当身之娱非所去也，故不为名所劝。从性而游，不逆万物所好，死后之名非所取也，故不为刑所及。名誉先后，年命多少，非所量也。"

【注释】

①大齐（jì）：大限。②逌（yóu）然：舒适自得的样子。③厌：通"餍"，饱，足。

【译文】

杨朱说："一百岁，是人生寿命的大限。能活到一百岁的，一千人中难有一人。即使有那么一个人活到一百岁，那么他从孩提襁褓到衰弱老迈的阶段，几乎就占去了他生命中一半的时间。晚上睡觉所消耗的，再加上白天觉醒时所浪费的，又几乎占去了剩余时间的一半。病痛哀愁劳苦、失意忧伤惊惧，又几乎占去了剩余时间的一半。算起来在这剩下的十几年中，能够舒适自得，心中没有丝毫顾虑的时间，也不过短暂的刹那罢了。那么人生在世究竟又是为了什么呢？究竟有什么快乐呢？不过是为了锦衣玉食，为了歌舞美色罢了。然而锦衣玉食又不可能总是得到满足，歌舞美色也不可能常常得以玩赏。而且人生来还要受到刑罚的禁止，赏赐的诱导，名教的督促，礼法的束缚；惶惶不安地去竞得一时的虚名，还得谋算着死后留下的荣耀；在人生路上孤单审慎地观察聆听，顾惜着身心的是是非非；徒然丧失了有生之年的最大快乐，不能给自己片刻的肆意放纵。这同关进深牢戴上沉重的手铐脚镣，有什么不一样呢？远古时期的人们懂得生命不过是迅疾的到来，懂得死亡不过是迅疾的离开；所以顺从心愿行动，从来不违背自己天性的喜好；对于现世的欢愉决不放弃，因此能够不受名誉的诱惑。放纵天性，优游世间，不违逆万物的喜好，不追求死后的虚名，因此也不会触及刑罚。名誉的先来后到，寿命的长短多少，并非是他们所思量的。"

【原文】

杨朱曰："万物所异者生也，所同者死也。生则有贤愚、贵贱，是所异也；死则有臭腐、消灭，是所同也。虽然，贤愚、贵贱非所能也；臭腐、消灭亦非所能也。故生非所生，死非所死；贤非所贤，愚非所愚，贵非所贵，贱非所贱。然而万物齐生齐死，齐贤齐愚，齐贵齐贱。十年亦死，百年亦死。仁圣亦死，凶愚亦死。生则尧舜，死则腐骨；生则桀纣，死则腐骨。腐骨一矣，孰知其异？且趣当生，奚遑[①]死后？"

【注释】

①遑：闲暇，空闲。

【译文】

杨朱说："万物所不同的是生存，所相同的是死亡。活着的时候有贤明有愚昧、有尊贵有卑贱，这是不同的；死了以后都要腐烂发臭、消失灭亡，这是相同的。即使是这样，贤明愚昧、尊贵卑贱也不是自己能够做主的；同样，腐烂发臭、消失灭亡也不是自己能够做主的。所以生存不是自己做主的生存，死亡也不是自己做主的死亡，贤明不是自己做主的贤明，愚昧也不是自己做主的愚昧，尊贵不是自己做主的尊贵，卑贱也不是自己做主的卑贱。然而万物的生存与死亡是一样的，贤明与愚昧是一样的，尊贵与卑贱也是一样的。活十年也是死，活上一百年也是死。仁人圣贤会死，凶人愚人也会死。活着的时候是尧舜，死了不过是一堆腐烂的骨头；活着的时候是桀纣，死了也不过是一堆腐烂的骨头。腐烂的骨头是一样的，谁知道它们生前的差异呢？姑且享受今生的乐趣，哪有空闲顾及死后会怎么样？"

【原文】

杨朱曰："伯夷非亡欲，矜清之邮，以放①饿死。展季非亡情，矜贞之邮，以放寡宗。清贞之误善之若此！"

【注释】

①放（fǎng）：至，到。

【译文】

杨朱说："伯夷不是没有欲望，只是过分矜持清高，以至于饿死。展季不是没有人情，只是过分矜持贞洁，以至于寡子少孙。清高贞洁耽误善良的人们竟然到了如此地步！"

【原文】

杨朱曰："原宪窭①于鲁，子贡殖②于卫。原宪之窭损生，子贡之殖累身。"

"然则窭亦不可，殖亦不可，其可焉在？"

曰："可在乐生，可在逸身。故善乐生者不窭，善逸身者不殖。"

【注释】

①原宪：春秋末期鲁国人，孔子弟子。窭（jù）：贫困。②殖：货殖，经商。此处含有发财、富有的意思。

【译文】

杨朱说："原宪在鲁国挨饿受穷，子贡在卫国经商发财。原宪的贫穷损害了自己的生命，子贡的经商累坏了自己的身体。"

有人问："既然贫穷也不行，经商也不行，怎样才行呢？"

杨朱答道："正确的办法在于使生命体验到快乐，正确的办法在于使身心体验到安逸。所以善于使生命体验到快乐的人不会因贫穷而损害生命，善于使身心体验到安逸的人不会因经商而累垮自己。"

【原文】

杨朱曰："古语有之：'生相怜，死相捐。'此语至矣。相怜之道，非唯情也；勤能使逸，饥能使饱，寒能使温，穷能使达也。相捐之道，非不相哀也；不含珠玉，不服文锦，不陈牺牲，不设明器也。晏平仲问养生于管夷吾。管夷吾曰：'肆之而已，勿壅①勿阏②。'晏平仲曰：'其目奈何？'夷吾曰：'恣耳之所欲听，恣目之所欲视，恣鼻之所欲向，恣口之所欲言，恣体之所欲安，恣意之所欲行。夫耳之所欲闻者音声，而不得听，谓之阏聪；目之所欲见者美色，而不得视，谓之阏明；鼻之所欲向者椒兰，而不得嗅，谓之阏颤③；口之所欲道者是非，而不得言，谓之阏智；体之所欲安者美厚，而不得行，谓之阏适；意之所欲为者放逸，而不得行，谓之阏性。凡此诸阏，废虐之主。去废虐之主，熙熙然以俟死，一日、一月、一年，十年，吾所谓养。拘此废虐之主，录而不舍，戚戚然以至久生，百年、千年、万年，非吾所谓养。'管夷吾曰：'吾既告子养生矣，送死奈何？'晏平仲曰：'送死略矣，将何以告焉？'管夷吾曰：'吾固欲闻之。’平仲曰：‘既死，岂在我哉？焚之亦可，沉之亦可，瘗[④]之亦可，露之亦可，衣薪而弃诸沟壑亦可，衮衣[⑤]绣裳而纳诸石椁亦可，唯所遇焉。’管夷吾顾谓鲍叔、黄子[⑥]曰：‘生死之道，吾二人进之矣。’”

【注释】

①壅（yōng）：堵塞。②阏（è）：遏止。③颤（shān）：鼻通能辨别气味。④瘗（yì）：埋葬。⑤衮（gǔn）衣：古代帝王及王公的礼服。⑥黄子：齐国大臣。

【译文】

杨朱说：“古代有句话说：‘活着的时候互相怜爱，死了以后捐弃释怀。’这句话真有道理。互相怜爱的方法，不仅仅在于感情，还要让勤苦的人得享安逸，让饥饿的人得到饱餐，寒冷的时候给他温暖，穷困的时候使他显达。互相捐弃的方法，并不是不为死者哀伤；而是不让死者口中衔含珍珠美玉，不在死者身上穿着锦衣华服，不在灵前陈设祭祀供品，不在坟内埋置殉葬冥器。晏婴向管仲询问养生之道。管仲说：‘不过是肆意放纵自己的欲望罢了，不要去堵塞它，不要去遏止它。’晏婴问：‘具体事项是什么？’管仲说：‘放任耳朵想听什么就听什么，放任眼睛想看什么就看什么，放任鼻子想闻什么就闻什么，放任嘴巴想说什么就说什么，放任身体想怎么舒服就怎么舒服，放任意念想干什么就干什么。耳朵想要听的是悦耳的声音，却不让听，这就叫作遏止耳聪；眼睛想要看的是美好的姿色，却不让看，这就叫作遏止目明；鼻子想要闻的是香料香花的味道，却不让闻，这就叫作遏止嗅觉；嘴巴想要说的是人间的是是非非，却不让说，这就叫作遏止智慧；身体想要享受的是锦衣玉食，却不让得到，这就叫作遏止安乐；意念想要做的是放纵安逸，却不让做，就叫作遏止本性。凡此种种遏止，都是残毁身心的根源。清除这些残毁身心的根源，欢欢喜喜一直到死，即使只活上一天、一月、一年、十年，也算是我所谓的养生。拘泥在这些残毁身心的事情里，甘愿受束缚也不加以摒弃，悲悲戚戚地活上很久，检束而不放弃，忧惧烦恼一直到老，即使有一百年、一千年、一万年，也不算是我所谓的养生。'管仲说完，又反问道：'我既然告诉你养生之道，那么你说给死人送葬又该如何呢？'晏婴说：'送葬就简单了，有什么可以说的呢？'管仲说：'我就是想听听。'晏婴说：'人都死了，还由得了他自己吗？烧成灰也行，沉下水也行，埋入土中也行，抛在露天也行，包上柴草扔到沟壑里也行，穿上礼服绣衣放置到石棺里也行，碰上什么就是什么。'管仲听罢，回头对鲍叔、黄子说：'养生之道与送死之道，我和晏子算是彻底领悟了。'"

【原文】

子产相郑，专国之政；三年，善者服其化，恶者畏其禁，郑国以治。诸侯惮之。

而有兄曰公孙朝，有弟曰公孙穆。朝好酒，穆好色。朝之室也聚酒千钟，积麴[①]成封，望门百步，糟浆之气逆于人鼻。方其荒[②]于酒也，不知世道之安危，人理之悔吝，室内之有亡，九族之亲疏，存亡之哀乐也。虽水火兵刃交于前，弗知也。穆之后庭比房数十，皆择稚齿婑媠[③]者以盈之。方其耽于色也，屏亲昵，绝交游，逃于后庭，以昼足夜；三月一出，意犹未惬。乡有处子之娥姣者，必贿而招之，媒而挑之，弗获而后已。

子产日夜以为戚，密造邓析而谋之，曰："侨闻治身以及家，治家以及国，此言自于近至于远也。侨为国则治矣，而家则乱矣。其道逆邪？将奚方以救二子？子其诏[④]之！"

邓析曰："吾怪之久矣，未敢先言。子奚不时其治也，喻以性命之重，诱以礼义之尊乎？"

子产用邓析之言，因间以谒其兄弟，而告之曰："人之所以贵于禽兽者，智虑。智虑之所将[⑤]者，礼义。礼义成，则名位至矣。若触情而动，耽于嗜欲，则性命危矣。子纳侨之言，则朝自悔而夕食禄矣。"

朝、穆曰："吾知之久矣，择之亦久矣，岂待若言而后识之哉？凡生之难遇而死之易及。以难遇之生，俟易及之死，可孰念哉？而欲尊礼义以夸人，矫情性以招名，吾以此为弗若死矣。为欲尽一生之欢，穷当年之乐。唯患腹溢而不得恣口之饮，力惫而不得肆情于色；不遑忧名声之丑，性命之危也。且若以治国之能夸物，欲以说辞乱我之心，荣禄喜我之意，不亦鄙而可怜哉？我又欲与若别之。夫善治外者，物未必治，而身交苦；善治内者，物未必乱，而性交逸。以若之治外，其法可暂行于一国，未合于人心；以我之治内，可推之于天下，君臣之道息矣。吾常欲以此术而喻之，若反以彼术而教我哉？”

子产忙然⑥无以应之，他日以告邓析。

邓析曰：“子与真人居而不知也，孰谓子智者乎？郑国之治偶耳，非子之功也。”

【注释】

①麹（qū）：酒曲。②荒：沉迷。③婑媠（wǒ tuǒ）：柔弱美好。④诏：这里指“告诉”。⑤将：凭借，依据。⑥忙然：即“茫然”。

【译文】

子产任郑国的国相，独揽国家的政权；三年之后，好人服从他的教化，坏人惧怕他的禁令，郑国因此得到了治理。各国诸侯都害怕郑国。

但子产有个哥哥叫公孙朝，有个弟弟叫公孙穆。公孙朝嗜好饮酒，公孙穆嗜好女色。公孙朝的家里，收藏的酒达一千坛，积蓄的酒曲堆得像小山，离他家大门还有一百步远，酒糟的气味便扑鼻而来。在他沉迷于喝酒的日子里，不知道时局的安危，人情的厚薄，家业的有无，亲族的远近，生死的哀乐。即使是水灾大火战争刀锋一齐到他面前，他也不知道。公孙穆的后院并列着几十间房间，里面都住着挑选来的年轻美貌的女子。在他沉湎于女色的日子里，就屏退一切亲戚，断绝友情与出游，躲到了后院里，夜以继日地纵情享受；三个月才出来一次，还觉得意犹未尽，不甚惬意。但凡发现乡间有美貌的未嫁姑娘，一定要用钱财把她招引来，托人做媒并引诱她，必须到了手才罢休。

子产日夜为他俩忧愁，于是悄悄地造访邓析同他商量，说："我听说修养好自身然后推及家庭，治理好家庭然后推及国家，这是说做事得按照从近到远的次序。我治理郑国已经很成功了，而家庭却混乱了。这不是把修身、齐家、治国的道理颠倒了吗？有什么办法挽救我这两个兄弟呢？请你告诉我。"

邓析说："我对这种情况已经奇怪很久了，只是没敢先说出来。你为什么不找个恰当的时机管教他们，劝诫他们认识性命的重要，启发他们明白礼义的尊贵呢？"

子产采纳了邓析的意见，找了个机会去见他的两位兄弟，并劝告他们说："人之所以比飞禽走兽尊贵，在于人有智慧思虑。智慧思虑所依据的是礼义。礼义具备了，那么名誉和地位也就来了。如果你们一味地感情用事，沉溺于个人嗜好，那么性命就危险了。你们要听我的话，那么早上自我悔悟，晚上就能当官得到俸禄了。"

公孙朝和公孙穆说："我们懂得这些道理已经很久了，做这样的选择也已经很久了，难道要等你讲了以后我们才明白吗？大凡生命是难以得到的，死亡却容易到来。以难得的生命，去等待容易到来的死亡，还有什么可顾虑的呢？你想尊重礼义向人夸耀，便矫饰本性以招来名誉，我们认为这样还不如死了好。生而为人，就是为了要享尽一生的欢娱，穷极有生之年的快乐。只怕肚子破了不能放肆地去喝酒，精力疲惫了不能放肆地去淫乐；没有工夫去担忧名声的丑恶，性命的安危。而你以治理国家的才能向我们夸耀，想用漂亮的词句来扰乱我们的心念，功名利禄来诱惑我们的意志，不也太卑鄙而令人怜悯吗？我们又要和你辨别一下。善于治理身外之物的人，外物未必能治理得好，而自身却累得心力交瘁；善于治理内心的人，外物未必会混乱，而本性却十分安逸。以你对身外之物的治理，那些方法可以暂时在一个国家奏效，但并不符合人的本心；以我们对内心的治理，这些方法可以推广到天下，连君臣之间的伦理纲常也一概可以废除了。我们常常想用这种办法来开导你，你却反而要用你那套办法来教育我们吗？”

子产茫然无言以对。过了些天他把这事告诉了邓析。

邓析说：“你同得道的真人住在一起却不知道，谁说你是聪明人啊？郑国治理得好不过是偶然的，并不是你的功劳。”

【原文】

卫端木叔[1]者，子贡之世也。借其先赀，家累万金。不治世故[2]，放意所好。其生民[3]之所欲为，人意之所欲玩者，无不为也，无不玩也。墙屋台榭，园囿池沼，饮食车服，声乐嫔御，拟齐楚之君焉。至其情所欲好，耳所欲听，目所欲视，口所欲尝，虽殊方偏国，非齐土之所产育者，无不必致之；犹藩墙[4]之物也。及其游也，虽山川阻险，涂径修远，无不必之，犹人之行咫步也。宾客在庭者日百住，庖厨之下不绝烟火，堂庑[5]之上不绝声乐。奉养之馀，先散之宗族；宗族之馀，次散之邑里；邑里之余，乃散之一国。行年六十，气干将衰，弃其家事，都散其库藏、珍宝、车服、妾媵[6]。一年之中尽焉，不为子孙留财。及其病也，无药石之储；及其死也，无瘗埋之资。一国之人受其施者，相与赋而藏[7]之，反其子孙之财焉。

禽骨釐[8]闻之，曰：“端木叔，狂人也，辱其祖矣。”

段干生[9]闻之，曰：“端木叔，达人也，德过其祖矣。其所行也，其所为也，众意所惊，而诚理所取。卫之君子多以礼教自持，固未足以得此人之心也。”

【注释】

①端木叔：复姓端木，名叔。孔子弟子子贡的后代。②世故：社会上的事务。③生民：一般人。④藩墙：围墙。⑤庑（wǔ）：堂下周围的廊屋。⑥妾媵（yìng）：古时诸侯之女出嫁，从嫁之妹与婢女，称“妾媵”。⑦藏：埋葬。⑧禽骨釐（xi）：即前面提到过的禽滑釐，墨子的学生。⑨段干生：应为“段干木”，战国初魏国人。

【译文】

卫国的端木叔，是子贡的后代。依靠他祖先的产业，家产达万金。他不从事世俗杂务，放纵意念去追求享受。凡大众想做的，人们心中想玩的，他没有不去做的，没有不去玩的。他家的高墙大院、楼阁台榭，花园兽囿、鱼池草沼，美酒玉食、华车丽服，美声妙乐、嫔妃侍御，都可以与齐国和楚国的国君相媲美。至于他情感上所喜好的，耳朵想听到的，眼睛想看到的，嘴巴想尝到的，即使在遥远的地方、偏僻的国家，并非齐国本土所出产养育的，没有搞不到手的；就像拿自己围墙内的东西一样。至于他出去游览，即使山河阻险，路途遥远，没有走不到的地方，就像一般人走几步路一样。庭院中的宾客每天数以百计，厨房里的烟火一直不断，厅堂廊屋里的音乐一直不绝。奉养宾客之后剩下来的东西，他先散发给本宗族的人；散发本宗族剩下来的东西，再散发给乡里乡亲；散发乡里乡亲剩下来的东西，施舍给全国的人。到了六十岁的时候，血气躯干都将衰竭，于是抛弃家内杂事，把他府库中所储藏的货物资财、珍珠宝玉、车马衣物、陪妾婢女统统遣散。一年之内倾家荡产，没有给子孙留下一点钱财。等到他生病的时候，家中没有一点药物；等到他去世的时候，家中没有一点埋葬用的钱财。一国之中受过他施舍的人，一同按人口凑钱埋葬了他，并把钱财都还给了他的子孙。

禽滑釐听到了这件事，说："端木叔是个疯狂的人，侮辱了他的祖先了。"

段干木听到了这件事，说："端木叔是个通达的人，德行超过他的祖先了。他的行动，他的作为，大家都感到惊讶，却符合真实的情理。卫国的君子们多以礼教来自我约束，本来就不能理解端木叔这个人的本心。"

【原文】

孟孙阳[①]问杨子曰："有人于此，贵生爱身，以蕲[②]不死，可乎？"

曰："理无不死。"

"以蕲久生，可乎？"

曰："理无久生。生非贵之所能存，身非爱之所能厚。且久生奚为？五情好恶，古犹今也；四体安危，古犹今也；世事苦乐，古犹今也；变易治乱，古犹今也。既闻之矣，既见之矣，既更③之矣，百年犹厌其多，况久生之苦也乎？"

孟孙阳曰："若然，速亡愈于久生；则践锋刃，入汤火，得所志矣。"

杨子曰："不然。既生，则废而任之，究其所欲，以俟于死。将死，则废而任之，究其所之，以放于尽。无不废，无不任，何遽迟速于其间乎？"

【注释】

①孟孙阳：杨朱的弟子。②蕲（qí）：通"祈"，祈求。③更：经历。

【译文】

孟孙阳问杨朱说："假使有这么一个人，珍惜自己的生命爱护自己的身体，以祈求不死，可能吗？"

杨朱说："按道理人没有不死的。"

孟孙阳又问："以此来祈求长生，可能吗？"

杨朱说："按道理人没有长生不死的。生命并不因为珍惜它就能够长存，身体也并不因为爱护它就能强壮起来。况且要长生干什么？人们的喜怒哀乐怨，古代与现在是一样的；身体的安危，古代与现在是一样的；世事的悲欢，古代与现代是一样的；社会的变迁治乱，古代与现在是一样的。既然已经听到了，已经看到了，已经经历了，活上一百年尚且嫌它太长，何况长久地活下去该有多痛苦？"

孟孙阳说："如果是这样的话，倒是早点死比长久活着更好，那么去触碰剑锋刀刃，投进沸水烈火，就可以满足愿望了。"

杨朱说："不是这样的。既然已经活着，不如听之任之，尽量满足所有的欲望，以等待死亡的到来。即将死亡的时候，也要听之任之，让生命愿意去哪里就去哪里，一直到消失。没有什么舍弃不下的，也没有什么不能放任的，何苦为生死之间的迟缓和迅疾而惶恐担忧呢？”

【原文】

杨朱曰：“伯成子高不以一毫利物，舍国而隐耕。大禹不以一身自利，一体偏枯[①]。古之人损一毫利天下不与也，悉天下奉一身不取也。人人不损一毫，人人不利天下，天下治矣。”

禽子问杨朱曰：“去子体之一毛以济一世，汝为之乎？”

杨子曰：“世固非一毛之所济。”

禽子曰：“假济，为之乎？”

杨子弗应。

禽子出语孟孙阳。孟孙阳曰：“子不达夫子之心，吾请言之。有侵若肌肤获万金者，若为之乎？”

曰：“为之。”

孟孙阳曰：“有断若一节得一国，子为之乎？”

禽子默然有间。

孟孙阳曰：“一毛微于肌肤，肌肤微于一节，省矣。然则积一毛以成肌肤，积肌肤以成一节。一毛固一体万分中之一物，奈何轻之乎？”

禽子曰：“吾不能所以答子。然则以子之言问老聃、关尹，则子言当矣；以吾言问大禹、墨翟，则吾言当矣。”

孟孙阳因顾与其徒说他事。

【注释】

①偏枯：亦称“偏瘫”，中医指半身不遂的病。

【译文】

杨朱说：“伯成子高不肯用一根毫毛去为他人谋利益，因此舍弃王位，隐居山野，种田度日去了。大禹不愿意为自身谋利益，结果半身不遂。古时候的人，要他损伤一根毫毛去为天下谋利益，他不肯给；把天下的财物都用来奉养自身，他也不愿要。如果人人都不损伤自己的一根毫毛，人人都无须有利于天下，那么天下就大治了。”

禽子问杨朱说：“去掉你身上一根毫毛来救济社会，你会去做吗？”

杨子说：“社会本来就不是一根毫毛所能救济的。”

禽子说：“假使能救济的话，会去做吗？”

杨子没有搭理他。

禽子出门将这件事告诉了孟孙阳。

孟孙阳说：“你不能领会先生的心意，还是让我来说说吧。有人侵犯你的肌肉皮肤同时让你得到一万金，你干吗？”

禽子说：“干。”

孟孙阳说：“有人砍断你的一节肢体同时让你得到一个国家，你干吗？”

禽子沉默了很久。

孟孙阳说：“一根毫毛比肌肉皮肤小得多，肌肉皮肤又比一节肢体小得多，这十分明白。然而把一根根毫毛积累起来才形成了肌肉皮肤，把一块块肌肉皮肤积累起来才形成了一节肢体。一根毫毛本是整个身体中的万分之一部分，为什么要轻视它呢？”

禽子说：“我没什么道理来回答你。但是用你的话去询问老子、关尹，那你的话就是对的了；用我的话去问大禹、墨翟，那我的话就是对的了。”

孟孙阳于是回过头同他的学生说别的事去了。

【原文】

杨朱曰：“天下之美归之舜、禹、周、孔，天下之恶归之桀、纣。然而舜耕于河阳，陶于雷泽，四体不得暂安，口腹不得美厚；父母之所不爱，弟妹之所不亲。行年三十，不告而娶。及受尧之禅，年已长，智已衰。商钧[1]不才，禅位于禹，戚戚然以至于死：此天人之穷毒者也。鲧[2]治水土，绩用不就，殛诸羽山。禹纂[3]业事雠，惟荒土功，子产不字，过门不入；身体偏枯，手足胼胝。及受舜禅，卑宫室，美绂冕[4]，戚戚然以至于死：此天人之忧苦者也。武王既终，成王幼弱，周公摄天子之政。邵公不悦，四国流言。居东三年，诛兄放弟[5]，仅免其身，戚戚然以至于死：此天人之危惧者也。孔子明帝王之道，应时君之聘，伐树于宋，削迹于卫，穷于商周，围于陈、蔡，受屈于季氏，见辱于阳虎[6]，戚戚然以至于死：此天民之遑遽者也。凡彼四圣者，生无一日之欢，死有万世之名。名者，固非实之所取也。虽称之弗知，虽赏之不知，与株块无以异矣。桀借累世之资，居南面之尊，智足以距[7]群下，威足以震海内；恣耳目之所娱，穷意虑之所为，熙熙然以至于死：此天民之逸荡者也。纣亦借累世之资，居南面之尊；威无不行，志无不从，肆情于倾宫，纵欲于长夜；不以礼义自苦，熙熙然以至于诛：此天民之放纵者也。彼二凶也，生有从欲之欢，死被愚暴之名。实者，固非名之所与也，虽毁之不知，虽称之弗知，此与株块奚以异矣。彼四圣虽美之所归，苦以至终，同归于死矣。彼二凶虽恶之所归，乐以至终，亦同归于死矣。”

【注释】

①商钧：舜的儿子。②鲧（gǔn）：黄帝的六世孙、昌意的五世孙、颛顼的玄孙，大禹的父亲。③纂（zuǎn）：继承。④绂（fú）冕：古代祭服。⑤诛兄放弟：周公旦摄政后，其兄管叔鲜与其弟蔡叔度联合商纣王之子武庚作乱，后为周公平定，杀管叔鲜，流放蔡叔度。⑥见辱于阳虎：阳虎，一作“阳货”，春秋后期季孙氏的家臣，要挟季孙氏，掌握国政，权势很大。季孙氏曾经设宴招待鲁国士人，孔子前去，被阳虎挡在门外，所以说“见辱于阳虎”。⑦距：通“拒”，抗拒。

【译文】

杨朱说：“天下的美名都归于虞舜、大禹、周公、孔子，天下的恶名都归于夏桀、商纣。但是虞舜在河阳种田，在雷泽制陶，整个身体得不到片刻休息，口腹得不到美味饭菜；父母不喜欢他，弟弟妹妹不亲近他。年龄到了三十岁，不禀告父母就娶妻。等到接受尧的禅让时，年龄已经太大了，智力也衰退了。他的儿子商钧没有治国之才，他只好把帝位禅让给大禹，忧伤悲哀直到死去：这是天底下受苦受难最多的人。鲧治理洪水，方法不当没有成功，被虞舜杀死在羽山。大禹继承他的事业，侍奉着杀父仇人，只怕荒废了治理洪水的时间，儿子出生后没有去关爱他，路过家门也不进去；以至于弄得自己半身不遂，手脚都生了茧子。等到他接受虞舜禅让给他的帝位时，把宫室盖得十分简陋，却把祭祀的礼服做得很讲究，忧伤悲哀直到死去：这是天底下忧愁辛苦最多的人。武王去世后，成王还很年幼弱小，周公代行天子的政令。邵公不满，四处传播着对他不利的谣言。周公因此东征三年，杀死了哥哥管叔鲜，流放了弟弟蔡叔度，这才保住了自身免受其害，忧伤悲哀直到死：这是天底下担忧恐惧最多的人。孔子懂得帝王治国的方法，接受当时各国国君的聘请，却在宋国遭遇司马桓魋砍断大树的威胁，被驱逐出国，在卫国遭到别人的恶意中伤，只好销声匿迹，在商周这个地方被拘留监禁，在陈国与蔡国之间被包围绝粮，在季孙氏手下受委屈，还受到季孙氏家臣阳虎的羞辱，忧伤悲哀直到死：这是天底下最惊惧慌张的人。所有这四位圣人，活着的时候没有享受一天的欢乐，死后却有流传万代的名声。所谓名声，本来就不是实际所需要的。死了之后，即使得到称赞，自己也不知道，即使得到奖赏，自己也不知道，与树桩土块没有什么差别。夏桀凭借历代祖先的资本，占据着天子的尊贵地位，他的智慧足以抗拒众臣，他的声威足以震慑海内；恣意放纵感官想要的娱乐，做尽心意思虑想做的事情，高高兴兴地一直到死：这是天底下最舒服放荡的人。商纣也凭借历代祖先的资本，占据着天子的尊贵地位；他的威严没有任何地方行不通，他的意志没有任何人不服从；在深宫后庭肆意地寻欢作乐，在漫漫长夜无休止地放纵情欲；他不用礼义来为难自己，高高兴兴地直到被杀：这是天底下最任性纵情的人。这两个凶恶的人，活着时有放纵欲望的欢乐，死之后得到了愚顽暴虐的恶名。所谓实际，本来就不是名声所能相比的。死了之后，即使遭到毁谤，自己也不知道，即使受到称赞，自己也不知道，这与树桩土块又有什么差别。那四位圣人虽然都得到了美名，却辛辛苦苦一直到最后，都归于死亡了。那两个凶恶的人虽然都得到了恶名，但高高兴兴一直到最后，也都归于死亡了。”

【原文】

杨朱见梁王，言治天下如运诸掌。

梁王曰：“先生有一妻一妾而不能治，三亩之园而不能芸①；而言治天下如运诸掌，何也？”

对曰：“君见其牧羊者乎？百羊而群，使五尺童子荷箠②而随之，欲东而东，欲西而西。使尧牵一羊，舜荷箠而随之，则不能前矣。且臣闻之：吞舟之鱼不游枝流；鸿鹄高飞，不集洿池③。何则？其极远也。黄钟大吕④不可从烦奏之舞。何则？其音疏也。将治大者不治细，成大功者不成小，此之谓矣。”

【注释】

①芸：除草。②箠（chuí）：鞭子。③洿（wā）池：积水的池塘。④黄钟大吕：这里指代表庄严肃穆的庙堂音乐。

【译文】

杨朱觐见梁惠王，说自己治理天下就同在手掌上翻转东西一样容易。

梁惠王说：“先生有一妻一妾都管治不好，三亩大的菜园都除草不净；却说治理天下就同在手掌上翻转东西一样容易，这是为什么呢？”

杨朱答道：“您见到过那牧羊的人吗？成百只羊合为一群，让一个五尺高的小孩拿着鞭子跟着羊群，想叫羊向东羊就向东，想叫羊向西羊就向西。如果让尧牵着一只羊，舜拿着鞭子跟着羊，羊就不容易往前走了。而且我听说过：能吞没船只的大鱼不到小河中游弋；高飞于苍天的鸿鹄，不落在积水的池塘边栖集。为什么？因为它们的志向极其远大。黄钟大吕这样的音乐不能给繁杂凑合起来的舞蹈伴奏。为什么？因为它们的音调低沉而舒缓。准备治理大事的人不处理小事，要成就大功业的人不建立小事业，说的就是这个意思。”

【原文】

杨朱曰：“太古之事灭矣，孰志之哉？三皇之事若存若亡，五帝之事若觉若梦，三王之事或隐或显，亿不识一。当身之事或闻或见，万不识一。目前之事或存或废，千不识一。太古至于今日，年数固不可胜纪。但伏羲已来三十余万岁，贤愚、好丑、成败、是非，无不消灭；但迟速之间耳。矜①一时之毁誉，以焦苦其神形，要②死后数百年中余名，岂足润枯骨？何生之乐哉？”

【注释】

①矜：顾惜，慎重。②要：追求。

【译文】

杨朱说：“远古的事情早已经湮灭了，谁还记得呢？三皇的事迹好像存在又好像消亡，五帝的事迹如同清醒又如同梦幻；三王的事迹有的隐没有的彰显，一亿件事情中未必能识别一件。当世的事情有的听说有的看见，一万件事情中未必识别一件。眼前的事情有的仍然存在有的已经废弃，一千件事情中未必能识别一件。从远古直到今天，年数本已计算不清，仅仅自伏羲以来三十多万年，贤明的，愚蠢的，美好的，丑陋的，成功的，失败的，正确的，错误的，没有不消亡湮灭的；只不过或慢或快而已。顾惜一时的毁谤与赞誉，使自己的精神与形体陷于焦灼苦楚，以追求死后几百年中能够留下名声，名声难道足以润泽枯槁的尸骨？这样活着又有什么乐趣呢？”

【原文】

杨朱曰：“人肖天地之类，怀五常①之性，有生之最灵者也。人者，爪牙不足以供守卫，肌肤不足以自捍御，趋走不足以从利逃害，无毛羽以御寒暑，必将资物以为养，任智而不恃力。故智之所贵，存我为贵；力之所贱，侵物为贱。然身非我有也，既生，不得不全之；物非我有也，既有，不得而去之。身固生之主，物亦养之主。虽全生，不可有其身；虽不去物，不可有其物。有其物，有其身，是横私天下之身，横私天下之物。不横私天下之身，不横私天下物者，其唯圣人乎！公天下之身，公天下之物，其唯至人矣！此之谓至至者也。”

【注释】

①五常：这里指与金、木、水、火、土这五行相对应的人的五种德行，即仁、义、礼、智、信。

【译文】

杨朱说：“人就像天地一样具备阴阳之分，怀有五常之性，是所有生命中最有灵性的种类。人，指甲和牙齿不足以用来守护保卫自己，肌肉和皮肤不足以用来抵抗外侵，奔跑疾走不足以趋利避害，也没有皮毛羽翼来抵御严寒酷暑，所以必定要依靠外物来养活自己，运用智慧而不依仗蛮力。所以，智慧之所以可贵，就在于它能使我们保存自身；力气之所以低贱，就在于它会使我们侵害外物。然而身体并不归我们自己所有，但出生了，便不得不保全它；外物也不归我们所有，但拥有了，便不能随便抛弃它。身体固然是生命的主体，外物也应当算作养护生命的主体。虽说要保全生命，却不能因此占有身体；虽说不要抛弃外物，却也不能因此占有外物。占有外物，占有身体，是强行独占本属于天下的身体，是强行独占本属于天下的外物。不强行独占本属于天下的身体，不强行独占本属于天下的外物，大概只有圣人才能做到吧！将本属于天下的身体还归公有，将本属于天下的外物还归公有，大概只有圣人才能做到吧！这就叫作达到至人的最高境界了。”

【原文】

杨朱曰：“生民之不得休息，为四事故：一为寿，二为名，三为位，四为货。有此四者，畏鬼，畏人，畏威，畏刑：此谓之遁民①也。可杀可活，制命在外。不逆命，何羡寿？不矜贵，何羡名？不要势，何羡位？不贪富，何羡货？此之谓顺民也。天下无对，制命在内。故语有之曰：‘人不婚宦，情欲失半；人不衣食，君臣道息。’周谚曰：‘田父可坐杀。’晨出夜入，自以性之恒；啜[2]菽[3]茹[4]藿[5]，自以味之极；肌肉粗厚，筋节腃急[6]，一朝处以柔毛绨[7]幕，荐以粱肉兰橘，心痟[8]体烦，内热生病矣。商鲁之君与田父侔[9]地，则亦不盈一时而惫矣。故野人之所安，野人之所美，谓天下无过者。昔者宋国有田夫，常衣缊黂[10]，仅以过冬。暨春东作，自曝于日，不知天下之有广厦隩室，绵纩狐貉。顾谓其妻曰：‘负日之暄，人莫知者；以献吾君，将有重赏。’里之富室告之曰：‘昔人有美戎菽、甘枲[11]茎芹萍子者，对乡豪称之。乡豪取而尝之，蜇于口，惨于腹，众哂而怨之，其人大惭。子，此类也。’”

【注释】

①遁民：违背本性的人。②啜（chuò）：饮，吃。③菽：这里意为豆类的总称。④茹：吃。⑤藿：豆叶。⑥腃（quán）急：蜷曲紧张。⑦绨（tí）：古代丝织物品。⑧痟（juān）：忧郁。⑨侔（móu）：同样。⑩缊黂（yùn fén）：以乱麻为絮的冬衣。⑪枲（xǐ）：麻。

【译文】

杨朱说：“百姓们之所以得不到休养生息，是为了四件事的缘故：一是为了长寿，二是为了名声，三是为了地位，四是为了财货。有了这四件事，就会害怕鬼魅，就会害怕别人，就会害怕权势，就会害怕刑罚：这就叫作违背自然本性的人。这种人可以被杀死，可以活下去，控制命运的力量在自身之外。不违背天命，为什么要羡慕长寿？不看重尊贵，为什么要羡慕名声？不求取权势，为什么要羡慕地位？不贪求富裕，为什么要羡慕财货？这就叫作顺应自然本性的人。他们在天下没有敌手，控制生命的力量在自身之内。所以俗话说：‘人不结婚做官，七情六欲便丢掉一半；人不穿衣吃饭，君臣之道便会停止。’周代的谚语说：‘闲坐闷煞老农夫。'农夫们早晨出门，夜晚回家，自认为这是正常的本性；喝豆粥嚼豆叶，自认为这是最好的美味；肌肤皮肉粗糙厚实，筋骨关节蜷曲紧张，一旦让他们穿上柔软的毛裘和光润的绸缎，再进献以细粮鱼肉与香美的水果，反而会心生忧郁之情，内热生病了。如果让宋国和鲁国的国君与农夫们同样种地，用不着一时三刻就疲惫不堪了。所以田野之民觉得安逸的，田野之民觉得香美的，便说是天下没有比这更好的了。过去宋国有个农夫，经常穿乱麻作絮的冬衣，并只用它来过冬。到了春天耕种的时候，自己在太阳下曝晒，不知道天底下还有大楼暖屋深室，丝绸棉衣狐皮貉裘。他回过头对他的妻子说：'晒太阳得来的暖和，谁也不知道；我把它进献给国君，没准会得到重赏。'乡里的富人告诉他说：'过去有以胡豆、麻秆、水芹与蒿苗为甘美食物的人，对本乡富豪称赞它们。本乡富豪拿来尝了尝，嘴巴被刺了，肚子也疼痛了，大家都讥笑并埋怨那个人，那人也大为惭愧。你呀，就是这类人。'"

【原文】

杨朱曰："丰屋美服，厚味姣色，有此四者，何求于外？有此而求外者，无厌之性。无厌之性，阴阳之蠹①也。忠不足以安君，适足以危身；义不足以利物，适足以害生。安上不由于忠，而忠名灭焉；利物不由于义，而义名绝焉。君臣皆安，物我兼利，古之道也。鬻子曰：'去名者无忧。'老子曰：'名者实之宾②。'而悠悠者趋名不已。名固不可去？名固不可宾邪？今有名则尊荣，亡名则卑辱。尊荣则逸乐，卑辱则忧苦。忧苦，犯性者也；逸乐，顺性者也。斯实之所系矣。名胡可去？名胡可宾？但恶夫守名而累实。守名而累实，将恤危亡之不救，岂徒逸乐忧苦之间哉？"

【注释】

①阴阳之蠹（dù）：这里指天地间的祸害。②名者实之宾：此语不见《老子》，当出自《庄子》。

【译文】

杨朱说："高大的房屋，华丽的衣服，丰盛的美食，漂亮的女子，有了这四样，还向外寻求什么呢？有了这些还要向外追求的人，实在是本性贪得无厌。贪得无厌的本性，是天地间的祸害。忠诚并不能使君主安宁，却恰恰能使他的身体遭受危险；仁义并不能使别人得到利益，却恰恰能使他的生命遭到损害。保卫国君不是靠着忠诚，那么忠诚的名声就灭绝了；惠利别人不是靠着仁义，那么仁义的名声就断绝了。君主与臣下都十分安宁，别人与自己都得到利益，这是古代的行为准则。鬻子说：'摒弃名声的人没有忧愁。'老子说：'名声是实体的附庸。'然而芸芸众生总是追求名声而不曾停止，难道名声本来就不可以抛却吗？名声本来就不可以当作附庸吗？如今有名声的人就尊贵荣耀，没有名声的人就卑贱屈辱。尊贵荣耀便安逸快乐，卑贱屈辱便忧愁困苦。忧愁困苦是违反本性的，安逸快乐是顺应本性的。这些与实体又紧密相关。名声怎么可以抛却？名声怎么能当作附庸？只是担心为了坚守名声而损害了实体。坚守名声而损害了实体，所担忧的是连危险灭亡都挽救不了，这难道仅仅是在安逸快乐与忧愁困苦这二者之间的事吗？"

说符第八

【题解】

古时所谓天降祥瑞，必与人事相应，叫作“符应”。因此，《列子》一书，以《天瑞》为始，以《说符》为终，达到首尾呼应的效果。

本卷名为“说符”，实为指“道”与“人事”的相互应验。作者认为，为人处世，对于事物的生存、消亡、变化、幻象，应当透过它的表象来观察验证为什么会这样的原因，一方面让自身远离伤害，一方面积累应变万物的智慧，进而深刻了解各种看似无关的现象背后实际上存在着的关联的彼此。

世人之所以贪图各种欲求，注重一时贪获，正是因为没有察识事物的相互联系，才会闹出“齐人攫金”那样的笑话。因此作者强调，唯有对“道”与“智”、“名”与“实”、“形”与“神”、“贵”与“贱”、“持身”与“暂得”等多对关系有着“察其所以然”的认知，才能领悟到天道与人事之间微妙的天机。

【原文】

子列子学于壶丘子林。壶丘子林曰：“子知持后，则可言持身矣。”

列子曰：“愿闻持后。”

曰：“顾若影，则知之。”

列子顾而观影：形枉[①]则影曲，形直则影正。然则枉直随形而不在影，屈申任物而不在我，此之谓持后而处先。

关尹谓子列子曰：“言美则响美，言恶则响恶；身长则影长，身短则影短。名也者，响也；身也者，影也。故曰：慎尔言，将有和之；慎尔行，将有随之。是故圣人见出以知入，观往以知来，此其所以先知之理也。度[2]在身，稽[3]在人。人爱我，我必爱之；人恶我，我必恶之。汤武爱天下，故王；桀、纣恶天下，故亡，此所稽也。稽度皆明而不道也，譬之出不由门，行不从径也。以是求利，不亦难乎？尝观之神农、有炎之德，稽之虞、夏、商、周之书，度[4]诸法士贤人之言，所以存亡废兴而非由此道者，未之有也。"

严恢曰："所为问道者为富。今得珠亦富矣，安用道？"

子列子曰："桀、纣唯重利而轻道，是以亡。幸哉余未汝语也。人而无义，唯食而已，是鸡狗也。强食靡角[5]，胜者为制，是禽兽也。为鸡狗禽兽矣，而欲人之尊己，不可得也。人不尊己，则危辱及之矣。"

【注释】

①枉：弯曲。②度：法度，标准。③稽：考核。④度（duó）：推测。⑤强食靡角：为争食而相互争夺。

【译文】

列子向壶丘子林学习。壶丘子林说："你只有懂得怎样保持谦退后让，才可以和你谈怎样修身的道理。"

列子说："希望能听你说说怎样保持谦退后让的道理。"

壶丘子林说："回头看看你的影子，就知道了。"

列子回过头观察自己的影子：身体弯曲影子就弯曲，身体端直影子就端直。那么，影子的弯曲端直是随身体而变化，根源不在影子自身；人们处世境遇的窘迫顺利是随外物而变化，根源不在自己。这就叫保持谦退才能处于前列。

关尹对列子说："言辞美妙回音也就美妙，言辞粗鄙回音也就粗鄙；身体修长，影子就修长；身体短小，影子就短小。名声就像回音，行为就像影子。所以说：谨慎你的言语，就会有人应和；谨慎你的行为，就会有人跟随。所以圣人看见外表就可以知道内里，看见过去就可以知道未来，这就是圣人先知先觉的原因。法度在于自身，考核在于别人。别人喜爱我，我一定喜爱他；别人厌恶我，我一定厌恶他。商汤、周武王爱护天下，所以统一了天下；夏桀、商纣厌恶天下，所以丧失了天下，这就是考核的结果。考核与法度都很明白却不照着去做，就好比外出不通过大门，走路不沿着道路一样。用这种方法去追求利益，不是很困难吗？我曾经了解过神农氏、炎帝的德行，考查过虞、夏、商、周的书籍，推测过许多礼法之士和贤能之人的言论，发现生存、灭亡、废弃、兴盛的原因不是由于这个道理的，从来没有过。"

严恢说："学习道义的目的在于求得财富。现在得到了珠宝也就富了，还要道义干什么呢？"

列子说："夏桀、商纣就是由于重视利益而轻视道义才灭亡的。幸好我还没有跟你说什么呢。人如果没有道义，只知道填饱肚子，这是鸡狗。为争食而相互争夺，胜利的一方就控制一切，这是禽兽。已经成为鸡狗禽兽了，却想要别人尊敬自己，是不可能的。别人不尊敬自己，那危险侮辱就要来到了。"

【原文】

列子学射中[1]矣，请于关尹子。

尹子曰："子知子之所以中者乎？"

对曰："弗知也。"

关尹子曰："未可。"

退而习之。三年，又以报关尹子。

尹子曰："子知子之所以中乎？"

列子曰："知之矣。"

关尹子曰："可矣，守而勿失也。非独射也，为国与身亦皆如之。故圣人不察存亡而察其所以然。"

【注释】

①中：这里指射箭命中靶心。

【译文】

列子学习射箭能射中靶心了，便请关尹子指点。

关尹子问："你知道你为什么能射中吗？"

列子回答说："不知道。"

关尹子说："那你的箭术还不行。"

列子于是回去反复练习。三年以后，又把练习情况汇报给了关尹子。

关尹子问："你知道你为什么能射中吗？"

列子说："知道了。"

关尹子说："这样就可以了，保持住，不要把它忘了。不仅射箭如此，治理国家与修养身心也都是这样。所以圣人不考察存亡兴废的表面现象而考察存亡兴废的内在原因。"

【原文】

列子曰："色盛者骄，力盛者奋，未可以语道也。故不班白[①]语道，失，而况行之乎？故自奋则人莫之告。人莫之告，则孤而无辅矣。贤者任人，故年老而不衰，智尽而不乱。故治国之难在于知贤而不在自贤。"

【注释】

①班白：同"斑白"，谓年老。

【译文】

列子说："血气方刚的人容易骄傲，体力充沛的人容易逞强，没法和他们谈论大道。所以头发尚未斑白的人来谈论道，必然有所违失，更何况去实行道呢？所以谁若是逞强，就没有人来劝告他。没有人来劝告他，就会变得孤立无援。贤明的人善于任用别人，因而即便上了年纪，治事的能力也不会衰退，即便智力用尽，思想也不会昏乱。所以治理国家难就难在知贤善任，而不是自认贤明。

【原文】

宋人有为其君以玉为楮[①]叶者，三年而成。锋杀茎柯，毫芒[②]繁泽，乱[③]之楮叶中而不可别也。此人遂以巧食宋国。

子列子闻之，曰："使天地之生物，三年而成一叶，则物之有叶者寡矣。故圣人恃道化而不恃智巧。"

【注释】

①楮（chǔ）：构树。②毫芒：细毛。③乱：随意放置。

【译文】

宋国有个人用玉石来为他的国君雕刻构树叶，经过三年才完成。叶子的茎脉和叶柄肥瘦得当，叶子上细毛密布，光泽滋润，就是随意放置在真的构树叶里也难以分辨。这个人于是凭着他的雕刻技巧得到了宋国的俸禄。

列子听说这事，说："假使天地生养万物，三年才长出一片叶子，那么万物之中有叶子的树木就很少了。所以圣人凭借大道来推行教化，而不倚仗个人的智慧与技巧。"

【原文】

子列子穷，容貌有饥色。客有言之郑子阳①者曰："列御寇盖有道之士也，居君之国而穷，君无乃为不好士乎？"郑子阳即令官遗之粟。子列子出见使者，再拜而辞。使者去。

子列子入，其妻望之而拊②心曰："妾闻为有道者之妻子皆得佚乐。今有饥色，君过而遗③先生食。先生不受，岂不命也哉？"

子列子笑谓之曰："君非自知我也。以人之言而遗我粟，至其罪我也，又且以人之言，此吾所以不受也。"

其卒④，民果作难而杀子阳。

【注释】

①子阳：郑国国相。②拊（fǔ）：拍打。③遗（wèi）：赠予。④其卒：后来。

【译文】

列子穷困，面带饥色。有门客对郑国国相子阳说："列御寇是个有道德的人才，在您的国家中却受穷挨饿，您难道不喜欢有道之士吗？"子阳听后立即命令官吏给列子送去粮食。列子出门接见使者，两次拜谢并谢绝了赠予的粮食，使者便走了。

列子进屋后，他的妻子怨恨地望着他，捶着胸口说："我听说做有道之士的妻子儿女，都能过上安逸快乐的日子，现在我们却穷得面黄肌瘦，国相派人来赠予你粮食。你却不接受，难道是命里注定要挨饿吗？”

列子笑着对她说：“国相并非自己了解我，而是听信了别人的话来赠送粮食给我，等到他要加罪于我，又会凭着别人的话语，这就是我不接受粮食的原因。”

后来，郑国百姓果然发动叛乱杀掉了子阳。

【原文】

鲁施氏有二子，其一好学，其一好兵。好学者以术干齐侯，齐侯纳之，以为诸公子之傅。好兵者之楚，以法干楚王，王悦之，以为军正①。禄富其家，爵荣其亲。

施氏之邻人孟氏同有二子，所业亦同，而窘于贫。羡施氏之有，因从请进趋之方。二子以实告孟氏。

孟氏之一子之秦，以术干秦王。秦王曰：“当今诸侯力争，所务兵食而已。若用仁义治吾国，是灭亡之道。”遂宫②而放之。

其一子之卫，以法干卫侯。卫侯曰：“吾弱国也，而摄③乎大国之间。大国吾事之，小国吾抚之，是求安之道。若赖兵权，灭亡可待矣。若全而归之，适于他国，为吾之患不轻矣。”遂刖④之，而还诸鲁。

既反，孟氏之父子叩胸而让施氏。施氏曰：“凡得时者昌，失时者亡。子道与吾同，而功与吾异，失时者也，非行之谬也。且天下理无常是，事无常非。先日所用，今或弃之；今之所弃，后或用之。此用与不用，无定是非也。投隙⑤抵时⑥，应事无方，属乎智。智苟不足，使若博如孔丘，术如吕尚，焉往而不穷哉？”

孟氏父子舍然无愠容，曰：“吾知之矣。子勿重言。”

【注释】

①军正：主管军务的官。②宫：又称“腐刑”，即阉割生殖器，为古代酷刑

之一。③摄：夹迫。④刖（yuè）：砍断双脚，为古代酷刑之一。⑤投隙：这里指迎和时机。⑥抵时：行动及时。

【译文】

鲁国的施家有两个儿子，一个爱好儒学，一个爱好打仗。爱好儒学的用仁义学术去齐侯那里谋取任用，齐侯接纳了他，让他担任各位公子的老师。爱好打仗的到了楚国，用作战方法向楚王谋取任用，楚王很高兴，让他担任了主管军务的官。他们得到的俸禄使全家富裕，爵位使亲人荣耀。

施家的邻居孟家同样也有两个儿子，所学的东西也相同，却窘迫于贫困。他们羡慕施家的富有，便去请教努力有所作为的方法。施家的两个儿子把实际情况告诉了孟家父子。

孟家的一个儿子到了秦国，用仁义学术去秦王那里谋取任用。秦王说："现在各国诸侯用武力来争夺天下，当务之急所做的不过是征集兵士与预备粮食罢了。如果用仁义来治理我的国家，必定是灭绝消亡的道路。"于是施以腐刑后驱逐了他。

孟家的另一个儿子到了卫国，用作战方法向卫侯谋取任用。卫侯说："我国是个弱小的国家，夹迫在几个大国之中。强大的国家我侍奉它，弱小的小国我安抚它，这才是谋求平安的方法。如果依靠军事权谋，那么灭绝消亡也就指日可待了。如果让你全身而退，到了别的国家，那么我国的祸患就不轻了。"于是砍断他的脚，将他送回鲁国。

回家以后，孟氏父子捶胸顿足责骂施家。施家父子说："凡是顺应时机的人就昌盛，违逆时机的人就败亡。你们的所学与我们相同，而功效却与我们不同，这是违逆时机的缘故，不是你们的行为有什么错误。而且天下的道理没有永远是对的，事情没有永远是错的。先前采纳的，现在也许会被废弃；现在废弃的，以后或许还会被使用。这种用与不用，没有一定的是与非。迎合时机，行动及时，应对事变，不拘成法，这才是智慧的表现。如果智慧不够，即使博学像孔丘，计谋如吕尚，到什么地方会不穷困呢？"

孟家父子就此释然，脸上不再有怨恨的神情，说："我们明白了，你不要再说了。"

【原文】

晋文公[①]出会，欲伐卫，公子锄仰天而笑。公问何笑。曰："臣笑邻之人有送其妻适私家[②]者，道见桑妇，悦而与言。然顾视其妻，亦有招之者矣。臣窃笑此也。"公寤其言，乃止。引师而还，未至，而有伐其北鄙者矣。

【注释】

①晋文公：春秋时晋国国君，名重耳。②私家：指已出嫁的姐妹家。

【译文】

晋文公出兵会师，想讨伐卫国，公子锄在一旁仰天而笑。晋文公问他笑什么。他说："我笑我的一位邻居送他的妻子去已出嫁的姐妹家，路上见到一个采摘桑叶的女子，心生好感便和她攀谈起来。然而回头看看他的妻子，也有别的男子在和她打招呼。我偷笑的就是这件事。"晋文公领悟了他话中的寓意，于是停止出兵讨伐。他带领军队回国，还没到国都，已经有别的国家来侵犯晋国的北部边境了。

【原文】

晋国苦盗。有郄雍[①]者，能视盗之貌，察其眉睫之间，而得其情。晋侯使视盗，千百无遗一焉。

晋侯大喜，告赵文子[②]曰："吾得一人，而一国盗为尽矣，奚用多为？"

文子曰："吾君恃伺察而得盗，盗不尽矣，且郄雍必不得其死焉。"

俄而群盗谋曰："吾所穷者，郄雍也。"遂共盗而残之。

晋侯闻而大骇，立召文子而告之曰："果如子言，郄雍死矣！然取盗何方？"

文子曰："周谚有言：察见渊鱼者不祥，智料隐匿者有殃。且君欲无盗，莫若举贤而任之；使教明于上，化行于下，民有耻心，则何盗之为？”

于是用随会[3]知政，而群盗奔秦焉。

【注释】

①郄（xì）雍：人名。②文子：人名，老子的弟子。③随会：人名。

【译文】

晋国苦于盗贼为患。有个叫郄雍的人，能够审视盗贼的相貌，只要观察他们的眉目神情，就能判别实情。晋侯派他去识别盗贼，千百个当中没一个遗漏的。

晋侯大为高兴。告诉赵国的文子说：“我得到一个人，全国的盗贼就快被捉光了，还要那么多捕盗的人干什么呢？”

文子说：“您依仗窥伺观察来捉拿盗贼，看来盗贼是捉不完的，而且郄雍一定不得好死。”

过了不久，一群盗贼聚在一起商量着说：“我们之所以走投无路，都是因为这个郄雍。”于是盗贼们合伙杀死了他。

晋侯听说后大为惊骇，立刻召见文子，告诉他说：“果然像你所说的那样，郄雍死了！然而往后还怎么捉拿盗贼呢？”

文子说：“周代谚语说道：眼力能察见深渊中游鱼的人不吉祥，智慧能预料藏匿之事的人有灾殃。君上您想要消灭盗贼，不如任用举荐的贤才；在上，政教昌明；在下，教化风行，百姓有了羞耻之心，哪还会做什么盗贼呢？”

于是晋侯任用随会来主持政事，盗贼们便纷纷逃到秦国去了。

【原文】

孔子自卫反鲁，息驾乎河梁而观焉。有悬水三十仞，圜流[1]九十里，鱼鳖弗能游，鼋鼍弗能居，有一丈夫方将厉[2]之。孔子使人并涯止之，曰：“此悬水三十仞，圜流九十里，鱼鳖弗能游，鼋鼍弗能居也。意者难可以济乎？”丈夫不以错意[3]，遂度[4]而出。

孔子问之曰：“巧乎？有道术乎？所以能入而出者，何也？”

丈夫对曰："始吾之入也，先以忠信；及吾之出也，又从以忠信。忠信错吾躯于波流，而吾不敢用私，所以能入而复出者，以此也。"

孔子谓弟子曰："二三子识之！水且犹可以忠信诚身亲之，而况人乎？"

【注释】

①圜（huán）流：有旋涡的水流。②厉：涉水。③不以错意：不在意。④度：通"渡"。

【译文】

孔子从卫国返回鲁国，下了马车在河堤上歇息，眺望景色。只见瀑布从三十仞的高处泻下，激起的有旋涡的水流有九十里，鱼和鳖不能在其中游动，鼋鼍不能在其中停留，却有一个男人正要涉水泅渡。孔子忙派人沿着河岸过去阻止他，说："这瀑布高达三十仞，有旋涡的水流长达九十里，鱼鳖不能在这里游动，鼋鼍不能在这里停留。想来是难以渡过的吧？"那男人毫不在意，便渡过河上了岸。

孔子问他说："你是靠技巧吗？你有道术吗？你这样在水中进进出出，是什么原因呢？"

那男人回答说："刚开始我跃入水中，就抱着忠诚的信念；等到我从水里浮起，依然怀着忠诚的信念。忠诚的信念将我安置在汹涌的波涛中，而我不敢怀有任何私心杂念，我之所以能够跃入水中又轻易浮起，就是这个道理。"

孔子对他的弟子们说："你们应该记住！连水都可以用忠心诚心去亲近它，又何况人呢？"

【原文】

白公①问孔子曰："人可与微言②乎？"

孔子不应。

白公问曰："若以石投水，何如？"

孔子曰："吴之善没者能取之。"

曰："若以水投水，何如？"

孔子曰："淄、渑之合，易牙尝而知之。"

白公曰："人固不可与微言乎？"

孔子曰："何为不可？唯知言之谓者乎！夫知言之谓者，不以言言也。争鱼者濡③，逐兽者趋，非乐之也。故至言去言，至为无为。夫浅知之所争者末矣。"

白公不得已，遂死于浴室。

【注释】

①白公：即白公胜，春秋时楚国大夫。②微言：这里指密谋。③濡（rú）：沾湿。

【译文】

白公问孔子说："人可以和别人密谋吗？"

孔子不搭理他。

白公又问道："如果把石头投入水中，会怎么样？"

孔子说："吴国善于潜水的人能够把它捞上来。"

白公又问："如果把水倒进水中，又会怎么样？"

孔子说："淄水与渑水混合在一起，易牙只要尝尝就能分辨出来。"

白公说："难道人一定不可以和别人密谋吗？"

孔子说："有什么不可以呢？只要领会言谈中的深意就可以了！所谓领会言谈中的深意，就是不用言语来表达。捉鱼的人会被水沾湿，追逐野兽的人要拼命奔跑，并非是他们乐意这么做。所以说最妙的言论就是抛却言论，最妙的行为就是无所作为。那些知识浅薄的人所争执的不过是细枝末节罢了。"

白公没能领会孔子话中的含义，依旧密谋造反，最终失败，被迫自缢死在浴室里。

【原文】

赵襄子使新稺穆子①攻翟，胜之，取左人、中人②；使遽人③来谒之。襄子方食而有忧色。左右曰："一朝而两城下，此人之所喜也；今君有忧色，何也？”

襄子曰：“夫江河之大也，不过三日；飘风暴雨不终朝，日中不须臾。今赵氏之德行无所施于积，一朝而两城下，亡其及我哉！”

孔子闻之曰：“赵氏其昌乎！夫忧者所以为昌也，喜者所以为亡也。胜非其难者也；持之，其难者也。贤主以此持胜，故其福及后世。齐、楚、吴、越皆尝胜矣，然卒取亡焉，不达乎持胜也。唯有道之主为能持胜。”

孔子之劲能拓④国门之关，而不肯以力闻。墨子为守攻，公输般服，而不肯以兵知。故善持胜者以强为弱。

【注释】

①新稺（zhì）穆子：人名，赵襄子家臣。②左人、中人：古城名，在今河北唐县西北。③遽（jù）人：这里指信使。④拓：举起。

【译文】

赵襄子派新稺穆子攻打翟人，打败了他们，夺取了左人、中人两座城池；新稺穆子派信使回来向赵襄子报捷。赵襄子正在吃饭，听到捷报后面带忧虑的神色。旁边的近臣问：“一天就攻下了两座城池，这是大家都高兴的事；现在您面带忧虑的神色，为什么呢？”

赵襄子说：“江河的潮水再大也不过三天便退，暴风骤雨不到一个早晨便停，太阳当空照不一会儿便倾斜。现在赵家的仁德品行没有积累什么恩泽，却一天之内就有两座城池被攻下，败亡大概要到我这里了吧！”

孔子听到后说：“赵氏大概要昌盛了吧！忧虑会带来未来的昌盛，喜悦会导致将来的败亡。取得胜利并不是艰难的事情，保持胜利才艰难。贤明的君主以忧虑来保持胜利，因而他的福泽可以延及后代。齐国、楚国、吴国、越国都曾取得过胜利，即使这样最终也都灭亡了，就是因为不懂得保持胜利。只有明白这个道理的君主才能保持胜利。”

孔子的力气能够举起国都城门上的门闩，却不愿意靠力气去出名。墨子为宋国制订防守与进攻的策略，公输班都心悦诚服，却不愿意以善于用兵去出名。所以善于保持胜利的人总是视自身的强大为弱小。

【原文】

宋人有好行仁义者，三世不懈。家无故黑牛生白犊，以问孔子。

孔子曰："此吉祥也，以荐①上帝。"

居一年，其父无故而盲。

其牛又复生白犊，其父又复令其子问孔子。

其子曰："前问之而失明，又何问乎？"

父曰："圣人之言先迕②后合。其事未究，姑复问之。"其子又复问孔子。

孔子曰："吉祥也。"复教以祭。

其子归致命。其父曰："行孔子之言也。"

居一年，其子又无故而盲。

其后楚攻宋，围其城；民易子而食之，析骸③而炊之；丁壮者皆乘城而战，死者太半。此人以父子有疾皆免。及围解而疾俱复。

【注释】

①荐：进献祭品。②迕（wǔ）：违背。③析骸：拆分骨骸。

【译文】

宋国有个喜欢施行仁义的人，三代相传毫不懈怠。一天家中的黑牛无缘无故生下了一头白色的牛犊，使去询问孔子。

孔子说："这是吉利幸运的预兆，可以把它进献给上帝。"

过了一年，他父亲的眼睛无缘无故就瞎了。

家中的黑牛又生下了白色牛犊，他父亲又叫儿子去询问孔子。

儿子说："上次问了他以后你的眼睛失明了，再问他干什么呢？"

父亲说："圣人的话往往先与现实相违背，后来才会吻合，这事还没有最后结果，姑且再问问他。"儿子便又去询问孔子。

孔子说："这是吉利幸运的预兆。"并且又叫他把这头白色牛犊进献给上帝。

儿子回家转达了孔子的话。他的父亲说："就按孔子的话去做。"

过了一年，儿子的眼睛也无缘无故地瞎了。

后来楚国攻打宋国，包围了宋国的都城；老百姓只得交换儿子杀了当饭吃，拆分骨骸当柴烧；青壮年都登上城墙作战，死亡超过了一半。这父子两人因眼瞎都幸免于难。等到包围解除后他们的眼睛又都恢复正常了。

【原文】

宋有兰子①者，以技干宋元。宋元召而使见。其技以双枝，长倍其身，属其胫，并趋并驰，弄七剑迭而跃之，五剑常在空中。元君大惊，立赐金帛。

又有兰子又能燕戏②者，闻之，复以干元君。元君大怒曰："昔有异技干寡人者，技无庸③，适值寡人有欢心，故赐金帛。彼必闻此而进复望吾赏。"拘而拟戮之，经月乃放。

【注释】

①兰子：以杂耍技艺走江湖的人。②燕戏：类似于轻功的杂戏。③庸：用。

【译文】

宋国有个以杂耍技艺走江湖的人，凭自己的杂技求见宋元君。宋元君召见了他并观看他的表演。他把两根比身体还长一倍的木棍绑在小腿上，疾走快跑，同时手中舞弄着七把剑，将它们轮流抛掷飞起，其中五把始终在空中上下翻腾。宋元君大为惊奇，立即赏赐给他金银布帛。

又有一个以杂耍技艺走江湖的人，会表演类似轻功的杂戏，听说了这件事后，也去求见宋元君。宋元君勃然大怒道："上次有个人凭着奇异的杂技来求见我，其实他的技巧并没有什么实际用处，恰好碰上我心情好，所以赏赐了金银布帛。这人一定是听说了这件事以后来的，是希望得到我的赏赐吧。”于是把那个人抓了起来准备处死，过了一个月才释放。

【原文】

秦穆公谓伯乐①曰：“子之年长矣，子姓②有可使求马者乎？”

伯乐对曰：“良马可形容筋骨相也。天下之马者，若灭若没，若亡若失，若此者绝尘弭躏③。臣之子皆下才也，可告以良马，不可告以天下之马也。臣有所与共担缠④薪菜者，有九方皋⑤，此其于马非臣之下也，请见之。”

穆公见之，使行求马。

三月而反报曰：“已得之矣，在沙丘⑥。”

穆公曰：“何马也？”

对曰：“牝⑦而黄。”

使人往取之，牡⑧而骊。

穆公不说。召伯乐而谓之曰：“败矣，子所使求马者！色物、牝牡尚弗能知，又何马之能知也？”

伯乐喟然太息曰：“一至于此乎！是乃其所以千万臣而无数者也。若皋之所观天机也，得其精而忘其粗，在其内而忘其外；见其所见，不见其所不见；视其所视，而遗其所不视。若皋之相者，乃有贵乎马者也。”

马至，果天下之马也。

【注释】

①伯乐：相传古时善于相马的人。②子姓：子孙。③弭：消除。躏：通“辙”，马蹄印。④担缠（mò）：挑担子。⑤九方皋：春秋时期善于相马的人。⑥沙丘：古地名，在今河北境内。⑦牝（pìn）：雌性。⑧牡：雄性。

列子

【译文】

秦穆公对伯乐说："你的年纪大了，子孙中有可以用来访求良马的人吗？"

伯乐回答说："良马可以通过它的形体、外貌、筋节、骨骼看出来。至于天下无双的宝马则不是这样，它的神情好像灭绝了，好像隐没了，好像消亡了，好像丢失了，像这样的马，跑起来四蹄似乎离开地面不沾尘土，经过的地方也没有马蹄印。我的子孙都是下等人才，只能教给他们怎样识别良马，却不能教给他们怎样识别天下无双的马。我有一个一同挑担子拾柴火的朋友，叫九方皋，这个人对于识别好马的本领不在我之下，请您接见他。"

秦穆公接见了九方皋，派他去寻求好马。

三个月以后九方皋回来报告说："已经找到了，在沙丘那儿。"

秦穆公问："什么样的马呢？"

九方皋回答道："是一匹雌马，黄色的。"

秦穆公派人去取这匹马，却是一匹雄马，纯黑色的。

秦穆公很不高兴，召见伯乐并对他说："太差劲了，你所推荐派去寻马的人！毛色、雌雄都分不清，又怎么能知道马的好坏呢？"

伯乐长叹了一口气说："竟然到了这种境界了！这就是他比我高明何止千万倍的原因啊！像九方皋所观察的，是马的天赋品性，他观察到了马的精髓也就忘了马的表象，注重的是马的内在品性也就忽略了马的外在皮毛；看到他所要看的，不看他所不要看的；观察他想要观察的，忽略他所不要观察的。像九方皋这样看马的人，则有比宝马更宝贵的东西。"

那匹马到了，果然是一匹天下无双的宝马。

【原文】

楚庄王问詹何[①]曰："治国奈何？"

詹何对曰："臣明于治身而不明于治国也。"

楚庄王曰："寡人得奉宗庙社稷，愿学所以守之。"

詹何对曰："臣未尝闻身治而国乱者也，又未尝闻身乱而国治者也。故本在身，不敢对以末。"

楚王曰："善。"

【注释】

①詹何：战国时期思想家。

【译文】

楚庄王问詹何说："治理国家应该怎样做？"

詹何回答说："我知道如何修养身心，不知道如何治理国家。"

楚庄王说："我能成为祀奉宗庙、执掌王权的人，希望学到怎样保持它的办法。"

詹何回答说："我没有听说过身心修养完备而国家反而混乱的事，也没有听说过身心修养不好而能把国家治理好的事。所以治国的根本在于自身，其他细枝末节的我就不敢答复您了。"

楚庄王说："说得好。"

【原文】

狐丘①丈人②谓孙叔敖③曰："人有三怨，子知之乎？"

孙叔敖曰："何谓也？"

对曰："爵高者，人妒之；官大者，主恶之；禄厚者，怨逮之。"

孙叔敖曰："吾爵益高，吾志益下；吾官益大，吾心益小；吾禄益厚，吾施益博。以是免于三怨，可乎？"

【注释】

①狐丘：古地名。②丈人：老人家。③孙叔敖：春秋时期楚国人，楚庄王时任令尹。

【译文】

狐丘有个老人家对孙叔敖说："一个人有三件被人怨恨的事，您知道吗？"

孙叔敖问："说的是什么呢？"

狐丘的老人家回答说："爵位高的，别人嫉妒他；官职大的，君主厌恶他；俸禄厚的，怨恨包围着他。"

孙叔敖说："我的爵位越高，我的志向越低；我的官职越大，我的雄心越小；我的俸禄越厚，我施舍得越广。用这种方法来避免三种怨恨，可以吗？"

【原文】

孙叔敖疾，将死，戒其子曰："王亟[①]封我矣，吾不受也。为[②]我死，王则封汝。汝必无受利地。楚越之间有寝丘[③]者，此地不利而名甚恶。楚人鬼而越人禨[④]，可长有者唯此也。"

孙叔敖死，王果以美地封其子。子辞而不受，请寝丘，与之，至今不失。

【注释】

①亟（qì）：屡次。②为：如，若。③寝丘：古地名，在今河南境内。④禨（jī）：吉祥，祈福禳灾。

【译文】

孙叔敖得了重病，即将死去，告诫他的儿子说："大王屡次要封我土地，我都没有接受。若我死了，大王就会封给你。你一定不要接受丰沃肥美的土地！在楚国和越国的交界处有个叫寝丘的地方，那里土地不肥沃，名声很不好。楚人相信鬼神不会要这块地，越人喜欢祈福也不会要这块地，可以长久保持的只有这个地方。"

孙叔敖去世后，楚王果然要把良田美地封给他的儿子。他的儿子推辞不接受，请求换成寝丘，楚王给了他，直到现在也没有失去这个地方。

【原文】

牛缺者，上地[①]之大儒也，下之邯郸，遇盗于耦沙[②]之中，尽取其衣装车，牛步而去，视之欢然无忧悫[③]之色。盗追而问其故，曰："君子不以所养害其所养。"盗曰："嘻！贤矣夫！"既而相谓曰："以彼之贤，往见赵君，使以我为，必困我。不如杀之。”乃相与追而杀之。

燕人闻之，聚族相戒，曰：“遇盗，莫如上地之牛缺也！”皆受教。

俄而其弟适秦。至关下，果遇盗；忆其兄之戒，因与盗力争。既而不如，又追而以卑辞请物。盗怒曰：“吾活汝弘矣，而追吾不已，迹将箸④焉。既为盗矣，仁将焉在？”遂杀之，又傍害其党四五人焉。

【注释】

①上地：秦国地名。②耦（ǒu）沙：水名，在今河北邢台沙河境内。③丢（lìn）：吝惜。④箸：同“著”，这里指踪迹败露。

【译文】

牛缺是秦国上地的一位大儒，往东到赵国的都城邯郸去，在耦沙遇到了强盗，把他的衣物车马全部抢走了，牛缺便步行而去，看上去丝毫没有忧伤吝惜的神色。强盗追上去问他是什么缘故，他说：“君子不因为身外之物而损害自己的身心道德。”强盗说：“唉！真是贤明啊！”过了一会儿强盗们又互相议论说：“以这个人的贤明，去拜见了赵国国君，要是派人来对付我们，必定要来围困我们。不如杀了他。”于是一道追上去杀了他。

燕国有人听到这事，就集合族人互相告诫说：“若是碰到了强盗，千万别像上地的牛缺那样了！”大家都接受了这一教训。

不久，燕国人的弟弟到秦国去。行至函谷关下，果然遇上了强盗；他想起了哥哥的告诫，便和强盗奋力争夺。争夺不过，又追上去低声下气地乞求强盗把抢去的财物还给他。强盗大怒道：“我们让你活下来已经够宽宏大量的了，你却不停地追我们，踪迹就要败露了。既然做了强盗，哪里还要什么仁义？”于是杀了他，又附带着杀害了他的四五个同伴。

【原文】

虞氏者，梁之富人也，家充殷盛，钱帛无量，财货无訾①。登高楼，临大路，设乐陈酒，击博②楼上。侠客相随而行。

楼上博者射[3]，明琼张中[4]，反两榻鱼[5]而笑。飞鸢[6]适坠其腐鼠而中之。侠客相与言曰："虞氏富乐之日久矣，而常有轻易人之志。吾不侵犯之，而乃辱我以腐鼠，此而不报，无以立慬[7]于天下。请与若等戮力一志，率徒属必灭其家为等伦[8]。"皆许诺。

至期日之夜，聚众积兵以攻虞氏，大灭其家。

【注释】

①訾（zī）：度量，估算。②击博：古代的博戏。③射：即掷骰子。④明琼张中：掷骰子中彩。⑤反两榻（tà）鱼：这里指连胜两着。⑥鸢（yuān）：鹰。⑦慬（qín）：勇气。⑧等伦：同辈。这里指等价。

【译文】

有个姓虞的人是梁国的富人，家产充盈丰盛，金钱布帛无法计算，资财货物无法估算。

有一天，他与朋友登上高楼，面临大路，设置乐队，摆上酒席，在楼上玩博戏。一帮侠客相伴着从楼下走过。正值楼上玩博戏的人掷投骰子中了彩，因为连胜两着而大笑。恰好这时天上一只老鹰张嘴掉下了衔着的早已腐烂的死老鼠，打中了从楼下路过的侠客。侠客听见笑声，以为是从楼上扔下来的，便议论说："姓虞的富足快乐的日子过得太久了，经常有看不起人的意思。我们没有侵犯他，他却用死老鼠来侮辱我们。对这样的事还不报复，便无法在天下树立我们勇敢的名声了。希望大家合力同心，率领徒众们灭绝他全家，才算是报仇雪恨。"大家都表示同意。

到了约定的那天晚上，侠客们聚集了众人，拿着武器，攻打虞家，把他全家彻底毁灭了。

【原文】

东方有人焉曰爰旌目，将有适也，而饿于道。狐父[1]之盗曰丘，见而下壶餐以餔[2]之。爰旌目三餔而后能视，曰："子何为者也？"曰："我狐父之人丘也。"爰旌目曰："譆！汝非盗耶？胡为而食我？吾义不食子之食也。"两手据地而欧[3]之，不出，喀喀然，遂伏而死。

狐父之人则盗矣，而食非盗也。以人之盗因谓食为盗而不敢食，是失名实者也。

【注释】

①狐父：地名，在今安徽境内。②壶餐：一壶水泡饭。馎（bū）：喂食。③欧：通“呕”，呕吐。

【译文】

东方有个人叫爰旌目，要到别的地方去，饿倒在道路上。狐父城的强盗名字叫丘，看见后便把自己的一壶水泡饭倒出来喂他。爰旌目吃了三口以后睁开了眼睛，问：“你是干什么的？”强盗说：“我是狐父城的人，名字叫丘。”爰旌目说：“呀！你不是那强盗吗？为什么要喂我饭呢？我宁可死去也不吃强盗的饭。”说完，他两只手按在地上呕吐起来，吐不出来，喀喀地咳了两声，便趴在地上死了。

狐父城的那个人虽然是个强盗，但饭却不是强盗。因为人是强盗就将他的饭也当作强盗而不敢吃，是没有搞清楚名称与实质的关系啊。

【原文】

柱厉叔事莒敖公[①]，自为不知己，去，居海上。夏日则食菱芰[②]，冬日则食橡栗。莒敖公有难，柱厉叔辞其友而往死之。

其友曰：“子自以为不知己，故去。今往死之，是知与不知无辨也。”

柱厉叔曰：“不然；自以为不知，故去。今死，是果不知我也。吾将死之，以丑[③]后世之人主不知其臣者也。”

凡知则死之，不知则弗死，此直道而行者也。柱厉叔可谓怼以忘其身者也。

【注释】

①莒（jǔ）敖公：春秋时莒国国君。②菱芰（jì）：即菱角。③丑：羞辱。

【译文】

柱厉叔事奉莒敖公，自认为不被理解，便离开到海边居住。

夏天就吃吃菱角，冬天则嚼嚼橡栗。莒敖公遭遇危难，柱厉叔就向朋友辞别打算拼死为莒敖公效力。

他的朋友说："你自认为不被理解，所以才离开莒敖公。现在却要用性命去援救他，这样理解和不理解的区别就没法分辨了。"

柱厉叔说："不对，我自认为不被理解，所以离开莒敖公。现在为他献身，可见他果真不理解我。我将为他而死，以此来羞辱后世那些不能理解自己臣子的国君。"

凡是理解自己的人就为他而死，不理解自己的人就不为他付出，这是遵循正道的人们的做法。柱厉叔可谓是一个为了怨恨而不顾惜自己生命的人。

【原文】

杨朱曰："利出者实及，怨往者害来。发于此而应于外者唯请[①]：是故贤者慎所出。"

【注释】

①请：当作"情"，情感。

【译文】

杨朱说："把利益施给别人，实惠自会到来；将怨恨发泄给别人，祸害就会降临。从自身发出而能在外界得到反应的，只有内心的情感：所以贤明的人对自己的言行举止十分小心谨慎。"

【原文】

杨子之邻人亡羊，既率其党[①]，又请杨子之竖[②]追之。

杨子曰："嘻！亡一羊何追者之众？"

邻人曰："多歧路。"

既反，问："获羊乎？"

曰："亡之矣。"

曰："奚亡之？"

曰："歧路之中又有歧焉，吾不知所之，所以反也。"

杨子戚然变容，不言者移时，不笑者竟日。

门人怪之，请曰："羊，贱畜，又非夫子之有，而损言笑者，何哉？"

杨子不答。门人不获所命。弟子孟孙阳出以告心都子③。

心都子他日与孟孙阳偕入，而问曰："昔有昆弟三人，游齐鲁之间，同师而学，进仁义之道而归。其父曰：'仁义之道若何？'伯曰：'仁义使我爱身而后名。'仲曰：'仁义使我杀身以成名。'叔曰：'仁义使我身名并全。'彼三术相反，而同出于儒。孰是孰非邪？"

杨子曰："人有滨河而居者，习于水，勇于泅，操舟鬻渡④，利供百口。裹粮就学者成徒，而溺死者几半。本学泅，不学溺，而利害如此。若以为孰是孰非？"

心都子嘿然⑤而出。

孟孙阳让之曰："何吾子问之迂，夫子答之僻？吾惑愈甚。"

心都子曰："大道以多歧亡羊，学者以多方丧生。学非本不同，非本不一，而末异若是。唯归同反一，为亡得丧。子长先生之门，习先生之道，而不达先生之况也，哀哉！"

【注释】

①党：亲族。②竖：童仆。③心都子：杨朱的弟子。④鬻（yù）渡：这里指靠着渡船谋生。⑤嘿（mò）然：沉默的样子。

【译文】

杨朱的邻居走失了一只羊，邻居领着一家人出去寻找，又请杨朱的仆人帮忙去追寻。

杨子说："唉！走失一只羊为什么要那么多人去追呢？"

邻居说："因为有好多岔路。"

追羊的人回来以后，杨朱问："找到羊了吗？"

回答说："跑掉了。"

杨朱问："为什么跑掉了？"

回答说："岔路之中又有岔路，我们不知道它跑到哪里去了，所以只好回来了。”

杨朱听了，脸色变得十分忧愁，好久不说话，整天也不露笑容。

弟子们觉得奇怪，问他说：“羊是低贱的牲畜，而且又不是先生的羊，可您却不言不笑，为什么呢？”

杨朱不回答。弟子们便得不到先生的指教。弟子孟孙阳出来把这事告诉了心都子。

心都子过了几天和孟孙阳一道进屋，向杨朱问道：“从前有兄弟三人，在齐国与鲁国之间游历，同向一位老师求学，把仁义之道修习完毕方才回家。他们的父亲问：‘仁义之道怎么样？’大儿子说：‘仁义使我首先爱惜生命而把名誉放在次要的位置。’二儿子说：‘仁义使我不惜用生命的代价来成就名誉。’三儿子说：‘仁义使我同时保全生命和名誉。’他们三个人的观点完全相反，却同样出自儒家，哪一个对，哪一个不对呢？”

杨朱说：“有人靠着河边居住，熟习水性，善于泅渡，靠着渡船谋生，收入可以供养百人。背着粮食向他学习的人成群结队，可其中淹死的几乎占到一半。本来是学游泳的，不是来学溺死的，可结果利害反差竟是这么大。你觉得哪一种对，哪一种不对呢？”

心都子沉默地走了出来。

孟孙阳责备他说：“你怎么问得那么拐弯抹角，先生又答得那么稀奇古怪？我愈发迷惑了。”

心都子说：“大路因为有太多岔道而走失了羊，治学的人因为有太多途径方法而迷失了方向。各类学说并非根源不同，并非根本观点不一致，而结论却相差悬殊。只有回归到相同的本原上去，返回到一致的观点上去，才不会迷失方向。你是先生的大弟子，修习先生的思想，却不明白先生的比喻，真可悲啊！

【原文】

杨朱之弟曰布，衣素衣①而出，天雨，解素衣，衣缁衣而反。其狗不知，迎而吠之。杨布怒，将扑之。杨朱曰："子无扑矣！子亦犹是也。向者使汝狗白而往，黑而来，岂能无怪哉？"

【注释】

①衣素衣：穿白衣服。

【译文】

杨朱的弟弟叫杨布，一天他穿着白衣服外出。天下雨了，他就脱下了白衣服，换上了黑衣服回家。家里的狗认不出来，迎上去汪汪叫。杨布很恼火，准备打它。杨朱说："你不要打它了！你也是这样的。如果让你的狗白颜色出去，黑颜色回来，你难道不觉得奇怪吗？"

【原文】

杨朱曰："行善不以为名，而名从之；名不与利期①，而利归之；利不与争期，而争及之：故君子必慎为善。"

【注释】

①期：相约。

【译文】

杨朱说："做善事不是为了求名，而名誉却随之而来；名誉不曾与利益相约，而利益却归附而来；利益不曾与争斗相约，而争斗却会自己到来：所以做善事务必要小心谨慎。"

【原文】

昔人言有知不死之道者，燕君使人受①之，不捷，而言者死。燕君甚怒，其使者将加诛焉。幸臣谏曰："人所忧者莫急乎死，己所重者莫过乎生。彼自丧其生，安能令君不死也？"乃不诛。

有齐子亦欲学其道，闻言者之死，乃抚膺而恨。富子闻而笑之曰："夫所欲学不死，其人已死而犹恨之，是不知所以为学。"

胡子曰："富子之言非也。凡人有术不能行者有矣，能行而无其术者亦有矣。卫人有善数者，临死，以决②喻其子。其子志其言而不能行也。他人问之，以其父所言告之。问者用其言而行其术，与其父无差焉。若然，死者奚为不能言生术哉？”

【注释】

①受：受业，从师父学习。②决：通“诀”，诀窍，方法。

【译文】

过去有个说自己知道长生不死之术的人，燕国国君派人受业于他，还没有成功，那个说自己知道长生不死之术的人就死了。燕国国君非常恼火，要把那个去学习的人杀掉。一个被燕君宠幸的臣子劝道：“人们所忧虑的没有比死亡更急迫的了，自己所重视的没有比生存更重要的了。他自己都丧失了生命，怎么能叫您长生不死呢？”于是不再杀派去的那个人。

有一个叫齐子的人也想学那人的长生不死之术，听说那个说自己知道长生不死之术的人死了，于是捶着胸脯悔恨不已。一个叫富子的人听说后，笑话他说：“想要学的是长生不死之术，可是那人已经死了，还要悔恨不已，真是不明白为什么要学。”

一个叫胡子的人说：“富子的话不对。一般说来，懂得道术而自己不能实行的人是有的，能够去实行而不知道那些道术的人也是有的。卫国有个懂得术数的人，临死的时候，把方法告诉了他儿子。他儿子记录下他的话，却不能实行，别人问他，他便把父亲所说的话告诉那人。问话的人用他的话照着去做，和他父亲简直没有差别。如果是这样的话，自己会死亡的人为什么就不能知道长生不死之术呢？”

【原文】

邯郸之民以正月之旦①献鸠于简子，简子大悦，厚赏之。客问其故。简子曰：“正旦放生，示有恩也。”

客曰：“民知君之欲放之，故竞而捕之，死者众矣。君如欲生之，不若禁民勿捕。捕而放之，恩过不相补矣。”

简子曰：“然。”

【注释】

①正月之旦：正旦，即正月初一。

【译文】

邯郸百姓在正月初一这天向赵简子敬献斑鸠，赵简子十分高兴，重重地赏赐了他们。

门客问他为什么这么做，赵简子说："正月初一放生，表示我有恩德。"

门客说："老百姓知道您要放生，因而互相争着去捕捉斑鸠，被杀死的斑鸠就更多了。您如果想要它们生存下来，不如禁止老百姓去捕捉。捕捉之后又释放，恩惠和过错并不能互相弥补。"

简子说："说的对。"

【原文】

齐田氏祖[①]于庭，食客千人。中坐有献鱼雁[②]者，田氏视之，乃叹曰："天之于民厚矣，殖五谷，生鱼鸟，以为之用。"众客和之如响。

鲍氏之子年十二，预于次[③]，进曰："不如君言。天地万物与我并生，类也。类无贵贱，徒以小大智力而相制，迭相食；非相为而生之。人取可食者而食之，岂天本为人生之？且蚊蚋嗜[④]肤，虎狼食肉，非天本为蚊蚋生人、虎狼生肉者哉？"

【注释】

①祖：这里指设宴送行。②雁：这里指鹅。③预于次：指参与宴会。④嗜（cǎn）：叮，咬。

【译文】

齐国的田氏在厅堂中设宴为人饯行，来吃饭的客人多达千人。座位中有人献上鱼和鹅，田氏看着这些菜，便感叹道："老天对人类太优厚了，生殖五谷，又生出鱼类和鸟类供人食用。"客人们像回声一样附和他。

鲍家有个儿子十二岁，也来参加这次宴会，他走上前说："事实并不像你所说的那样。天地万物与人共同生存，都是同类。同类没有贵贱之分，仅仅以身体的大小、智慧和力量互相制约，互相吞食；并不是谁为谁而生存。人只是获取可以吃的东西来吃，难道是上天本来为人而特意生养的？而且蚊子蚋虫叮咬人的皮肤，老虎豺狼吃人的骨肉，难道是上天本来为蚊子蚋虫而生人、为老虎豺狼而生肉的吗？”

【原文】

齐有贫者，常乞于城市。城市患其亟也，众莫之与。遂适田氏之厩，从马医作役而假食①。郭中人戏之曰：“从马医而食，不以辱乎？”乞儿曰：“天下之辱莫过于乞。乞犹不辱，岂辱马医哉？”

【注释】

①假食：意指混饭吃。

【译文】

齐国有个穷人，经常在城中的集市上讨饭。城中集市上的人讨厌他屡次来讨，大家都不再施舍给他了。于是这个穷人来到了姓田人家的马厩，跟着马医干活混饭吃。城外的人戏弄他说：“跟着马医混饭吃，不觉得耻辱吗？”要饭的人说：“天下的耻辱没有比讨饭更大的了。我讨饭时还不觉得耻辱，难道跟着马医干活混饭吃会觉得耻辱吗？”

【原文】

宋人有游于道、得人遗①契者，归而藏之，密数其齿②。告邻人曰：“吾富可待矣。”

【注释】

①遗：这里指作废。②齿：古人刻木以为契，符左契右，相互合齿。

【译文】

宋国有个人在大路上闲逛，捡到一片别人作废的契据，拿回家藏了起来，还暗暗细数着契据上的齿印。他告诉邻居说：“我发财的日子就要来到了。”

【原文】

人有枯梧树者，其邻父[①]言枯梧之树不祥，其邻人遽而伐之。邻人父因请以为薪。其人乃不悦，曰："邻人之父徒欲为薪而教吾伐之也。与我邻，若此其险，岂可哉？"

【注释】

①邻父：邻居家的老头。

【译文】

有个人家里的梧桐树枯萎了，邻居家的老头说枯死了的梧桐树是不祥之物，那个人急忙把梧桐树砍倒了。邻居家的老头于是求取砍下来的树枝当柴烧。那个人便很不高兴，说："邻居家的老头原来仅仅是想要柴火才教我把树砍了。和我比邻而居，却这样阴险，做人怎么可以这样？"

【原文】

人有亡𫓧[①]者，意其邻之子，视其行步，窃𫓧也；颜色，窃𫓧也；言语，窃𫓧也；动作态度无为而不窃𫓧也。俄而扫[②]其谷而得其𫓧，他日复见其邻人之子，动作态度无似窃𫓧者。

【注释】

①𫓧（fǔ）：通"斧"，斧子。②扫（hú）：挖掘。

【译文】

有个人丢失了一把斧子，怀疑是他邻居家的孩子偷了，看那个孩子走路，像偷斧子的；面容神色，像偷斧子的；说话语调，像偷斧子的；动作态度没有一样不像偷斧子的。不久他在山谷里掘地时找到了自己的那把斧子。过了几天再见到邻居家的孩子，动作态度没有一点像偷斧子的人了。

【原文】

白公胜虑乱，罢朝而立，倒杖策，錣[①]上贯颐，血流至地而弗知也。

郑人闻之曰："颐之忘，将何不忘哉？"

意之所属箸[②]，其行足踬[③]株坎，头抵植木，而不自知也。

【注释】

①錣（zhuì）：驱马棍上端的针刺。②属箸：专注。③踬（zhì）：被绊倒。

【译文】

白公胜满心谋划着叛乱的事，散朝后仍然站在原地不动，他手中倒持着驱马棍，驱马棍上端的针刺戳穿了他的面颊，鲜血直淌到地上，而他却毫无知觉。

郑国人听闻此事后说："自己的脸面都忘记了，还会有什么忘不掉呢？"

只要意念专注集中，即使走路时被露出地面的树根绊倒，脚崴进凹坑，脑袋撞到树干上，自己也不会知道。

【原文】

昔齐人有欲金者，清旦衣冠①而之市，适鬻金者之所，因攫②其金而去。吏捕得之，问曰："人皆在焉，子攫人之金何？"对曰："取金之时，不见人，徒见金。"

【注释】

①衣冠：这里指穿戴整齐。②攫（jué）：夺取。

【译文】

过去齐国有个想得到金子的人，清早起来穿戴整齐后到了集市上，走进了卖金子的地方，乘机夺取一块金子就跑了。官吏捕获了他，问道："大家都在那里，你夺取别人的金子干什么？"那人回答说："我拿金子的时候，没看见人，只看见了金子。"